LES PÂTES

LES MEILLEURES RECETTES

JOANNE GLYNN

TORMONT

TABLE DES MATIÈRES

~

Cette édition est publiée avec la permission de
HarperCollins Publishers Pty Limited.

Publié en 1994 par
Les Éditions Tormont Inc.
338, rue Saint-Antoine Est
Montréal, Canada H2Y 1A3
Tél. : (514) 954-1441
Fax : (514) 954-5086
ISBN 2-89429-486-7
Imprimé au Canada

Texte original : The New Pasta Cookbook

Photographie : Ashley Barber
Stylisme : Michelle Gorry

Photographie de la couverture de Rowan Fotheringham et stylisme de
Donna Hay (Agnolotti épicés à la ricotta, pâte aux fines herbes, recette p. 58).

L'HISTOIRE DES PÂTES

Les pâtes on toujours été populaires, surtout à cause des innombrables façons dont nous pouvons les apprêter. On les retrouve sous une variété de formes, elles ont des couleurs et des saveurs différentes, et elles sont économiques, rapides et faciles à préparer. Elles peuvent constituer un repas en soi ou accompagner d'autres mets, tels que les viandes et les légumes. Les pâtes ont une grande valeur nutritive et constituent une source d'énergie facilement assimilable par l'organisme.

La pâte est faite de farine, d'eau et d'œufs. La farine utilisée pour les pâtes commerciales est composée de blé dur qui prendra la forme de semoule grossièrement moulue. La pâte de semoule de blé dur absorbera moins d'eau et séchera plus facilement; sa consistance sera meilleure pendant le pétrissage, le séchage et la cuisson. Elle aura également une texture plus agréable et donnera de meilleurs résultats lorsqu'on la fera réchauffer.

On ajoute à l'occasion des œufs aux pâtes commerciales sèches afin de leur donner plus de corps et de saveur. Les pâtes maison sont presque toujours composées d'œufs, ce qui ajoutera de la saveur à la pâte et la rendra facile à manier et à abaisser.

L'ACHAT DES PÂTES
Les pâtes préparées sont regroupées en trois catégories pincipales.

LES PÂTES SÈCHES EMBALLÉES (*pasta secche*) sont disponibles dans tous les supermarchés. Il est préférable de vérifier l'étiquette afin de s'assurer qu'elles sont composées de semoule de blé dur (*pasta di semolina di grano duro*, pour les importations italiennes) et pour savoir si elles contiennent ou non des œufs (*all'uovo* veut dire avec œufs). Le temps de cuisson des pâtes sèches est de 10 minutes ou plus, étant donné qu'elles devront être réhydratées aussi bien que cuites.

LES PÂTES FRAÎCHES (*pasta fresca*) sont disponibles dans les boutiques spécialisées, les épiceries fines et dans certains supermarchés au comptoir des produits réfrigérés. Les étalages sont généralement présentés en vrac de sorte que vous puissiez acheter la quantité désirée. Ces pâtes sont facilement malléables et requièrent un temps de cuisson très court (1½ à 3 minutes).

LES « PÂTES FRAÎCHES » PRÉ-EMBALLÉES, SÈCHES se situent entre les deux autres catégories et sont disponibles dans les supermarchés et les boutiques spécialisées. Leur temps de cuisson varie de 3 à 5 minutes.

CONSEILS DE CUISSON
Le succès d'un plat de pâtes dépend de la cuisson parfaite du type de pâtes que vous avez choisi.

Premièrement, la quantité d'eau utilisée par rapport aux pâtes est important. S'il n'y a pas assez d'eau, les pâtes seront entassées et ne pourront cuire uniformément. Elles deviendront gluantes au fur et à mesure que l'eau se chargera d'amidon. Il ne peut y avoir trop d'eau. Utilisez un minimum de 4 litres (16 tasses) d'eau pour 500 g (1 lb) de pâtes. Mettez-en davantage si vous utilisez des pâtes sèches, parce qu'elles absorbent davantage d'eau.

Amenez l'eau à ébullition dans une grande marmite. Juste avant d'y mettre les pâtes, ajoutez un trait d'huile (pour empêcher que les pâtes collent) et une grosse pincée de sel (ou un morceau de sel gemme ou du sel de mer non raffiné) pour faire ressortir la saveur. Si vous utilisez des pâtes fraîches, secouez-les doucement afin de les séparer avant de les ajouter à l'eau. Lorsque les pâtes sont plongées dans l'eau bouillante, prenez le temps de bien les remuer. Quand l'ébullition aura repris, baissez le feu tout en laissant bouillonner doucement. Ne remuez pas trop les pâtes pendant leur cuisson, car elles auront tendance à relâcher un surplus d'amidon.

Les pâtes sont prêtes quant elles sont *al dente* – c'est-à-dire tendres mais avec une certaine résistance sous la dent. Vous devriez en sentir la texture et la forme dans la bouche, et non pas une pâte en bouillie.

Si les pâtes sont trop cuites, elles ne pourront supporter l'ajout d'autres ingrédients et ne permettront pas une distribution égale de la sauce.

Goûtez les pâtes juste avant la fin du temps de cuisson. Note : comme les pâtes fraîches ne nécessitent qu'un temps de cuisson très court, le minutage est particulièrement important.

Ne les égouttez pas trop; il est préférable de conserver un peu d'eau de cuisson afin qu'elles soient bien glissantes. Rincez les pâtes seulement si celles-ci sont destinées à un plat servi froid.

Ensuite, mélangez-les avec un peu d'huile ou du beurre. Ceci aidera le nappage de la sauce et empêchera les pâtes de devenir collantes. Enfin, réservez toujours les plats de service ou les assiettes au chaud.

Les pâtes maison

On utilise généralement de la farine ordinaire pour fabriquer des nouilles aux œufs. C'est ce qui leur conférera une fine texture et une légèreté de pâte qui conviendront bien à des nouilles telles que les raviolis, en plus de donner à la pâte une bonne élasticité.

L'addition de semoule de blé dur procurera une meilleure couleur, plus de saveur et davantage d'élasticité tout en fournissant les avantages nutritifs des farines de blé dur. La quantité de semoule par rapport à la farine est une question de choix, mais on recommande au maximum deux tiers de semoule pour un tiers de farine. Si vous fabriquez vos pâtes avec d'autres types de farine, telles que des farines de blé entier ou de sarrasin, rappelez-vous que différentes moutures et céréales ont des degrés d'absorption et d'élasticité différents.

Les œufs utilisés devraient être les plus frais possible, car leur fraîcheur influera non seulement sur la saveur et la couleur des pâtes, mais aussi sur leur élasticité.

La proportion d'œufs par rapport à la farine est d'un œuf moyen pour 175 g (¾ tasse) de farine et, généralement, on ajoute une pincée de sel. Il est parfois nécessaire d'ajouter un peu d'eau, mais cela dépendra du type de farine utilisé et du degré d'humidité de la pâte. Les pâtes sans œufs sont faites de la même façon que les autres, sauf que les œufs sont remplacés par une quantité égale d'eau.

Les outils dont vous avez besoin pour la confection de pâtes sont une planche et un long rouleau à pâte. Toutefois, un robot culinaire vous rendra la tâche plus facile pour mélanger, et une machine à pâtes à manivelle simplifiera le travail.

Pour une pâte de base, vous avez besoin de 375 g (1¾ tasse) de farine, 2 œufs, une pincée de sel et un peu d'eau. Cette quantité sera suffisante pour la composition de deux plats principaux ou trois entrées.

Mélanger à la main Utilisez une planche à pâtisserie ou un grand bol. Versez la farine dans un bol et faites un puits au milieu. Ajoutez les œufs et le sel et commencez à mélanger avec les doigts ou avec une fourchette en incorporant petit à petit la farine aux œufs et en travaillant de l'intérieur vers l'extérieur. Quand la farine et les œufs sont bien mélangés, pétrissez la pâte sur la planche à pâtisserie en ajoutant un peu de farine ou d'eau si nécessaire.

Il vous prendra 5 minutes de pétrissage pour obtenir une pâte ferme et homogène. Si vous utilisez de la semoule de blé dur, pétrissez de 7 à 10 minutes, car la semoule met plus de temps à absorber l'humidité et à produire une pâte ferme et élastique.

Seule l'expérience vous dira quand le pétrissage est terminé. La pâte ne devrait pas être collante ou humide au toucher. Dès que votre pâte est pétrissable sans addition de farine, elle est probablement prête.

Lorsque vous aurez terminé, couvrez la pâte avec un chiffon ou avec un bol renversé, afin d'éviter qu'elle ne durcisse, et laissez reposer 15 minutes.

Mélanger au robot culinaire

Utilisez la lame de métal. Versez les ingrédients secs dans le bol. Quand le moteur est en marche, ajoutez les œufs par l'orifice du couvercle. Au bout de 5 minutes, une boule devrait se former. Si la pâte demeure collante, ajouter de la farine jusqu'à l'obtention d'une boule ou jusqu'à ce que l'appareil ralentisse ou s'arrête. Parfois, il faudra ajouter quelques gouttes d'eau pour que la pâte perde son apparence farineuse. Retirez la pâte de l'appareil et pétrissez-la 2 ou 3 minutes ou jusqu'à ce qu'elle soit élastique. Laissez reposer la pâte tel qu'indiqué plus haut.

Abaisser et couper à la main

Séparez la pâte en boules et couvrez-les jusqu'à utilisation. Prenez une boule et aplatissez le centre avec votre main.

Avec un long rouleau à pâte, abaissez chaque boule sur une planche légèrement farinée.

Soulevez et retournez la pâte à plusieurs reprises et ne travaillez pas trop vite ; la pâte devra être abaissée uniformément en une mince couche. Comme elle gonflera un peu à la cuisson, il faut l'abaisser un peu plus afin d'obtenir l'épaisseur désirée. Pour les pâtes fourrées, la pâte devrait être presque aussi mince qu'une feuille de papier.

Lorsque vous avez obtenu le résultat souhaité, couvrez chaque feuille avec une pellicule plastique et recouvrez ensuite d'une mousseline humide afin qu'elle ne sèche pas.

Si votre abaisse est destinée à être coupée en bandelettes telles les tagliatelle, laissez-les sécher légèrement ; cela empêchera les rubans de coller les uns aux autres. Ensuite, coupez les feuilles en rectangles d'environ 25 cm (10 po) de long et enroulez-les. Avec un couteau bien aiguisé, par mouvements réguliers, découpez des tranches égales qui, une fois détachées, prendront la forme de tagliatelle (0,5 cm ou ¼ po de large), de pappardelle (2 cm ou ¾ po de large), ou de toute autre forme que vous déciderez de leur donner.

Abaisser et couper avec un appareil à fabriquer des pâtes

Réglez les rouleaux à l'écart le plus grand; abaissez une boule préablement aplatie à la main en la faisant passer entre les rouleaux à deux ou trois reprises. Pliez la pâte en trois et abaissez de nouveau.

Répétez l'opération quatre ou cinq fois jusqu'à ce que l'abaisse soit uniformément lisse et élastique. Ensuite, réglez les rouleaux à un écart moins grand et abaissez jusqu'à l'épaisseur désirée. Évitez d'ajouter de la farine, mais si la pâte devient collante, un léger saupoudrage aidera à la faire passer dans l'appareil.

Avant de couper la pâte, si elle vous apparaît trop humide, laissez-la reposer à découvert environ 15 minutes. Elle devrait être suffisamment sèche de sorte que les bandelettes ne colleront pas lorsque vous passerez la pâte à travers l'appareil à manivelle en utilisant le couteau désiré.

Essayez un mélange de semoule et de farine

Faire des pâtes maison est facile et amusant

Étendez les bandelettes sur une mousseline sèche ou suspendez-les sur des dossiers de chaises ou sur un manche à balai, jusqu'à utilisation. Les pâtes faites entièrement de farine ne sèchent pas facilement ; elles ont tendance à craqueler lorsque l'humidité s'évapore.

FABRICATION DE PÂTES FOURRÉES

Les fines abaisses devraient être recouvertes d'une mousseline humide ou de pellicule plastique et être utilisées rapidement.

Préparez votre garniture avant vos pâtes de façon à procéder rapidement lorsque ces dernières sont prêtes.

Il existe trois façons de préparer des pâtes fourrées :

1) Avec un moule : ce sont des plaques portant en relief différentes formes et grandeurs de raviolis ; elles se vendent accompagnées de leur propre rouleau à pâte pour sceller et couper la pâte autour de la garniture. Ces moules sont utiles si vous désirez des pâtes uniformes.

2) Garniture posée sur l'abaisse : c'est une façon rapide de fabriquer des raviolis. Coupez deux abaisses de pâte, l'une légèrement plus grande que l'autre. Sur la plus petite, mettez une cuillerée de garniture à intervalles réguliers, puis badigeonnez d'œufs battu les endroits où vous désirerez couper la pâte. Placez délicatement l'abaisse la plus large sur l'autre et passez avec votre doigt sur les endroits où vous couperez la pâte, afin de vous assurer que les deux abaisses se touchent. Taillez vos formes à l'aide d'une roulette à pâte farinée.

3) Pliées à la main : cette méthode vous donnera des raviolis très bien scellés parce que chacun d'entre eux est pressé à la main.

Travaillez avec une abaisse de pâte à la fois et coupez selon la forme désirée (ronde pour des raviolis en demi-lunes ; en carrés pour des triangles ; en rectangles pour des

Abaissez votre pâte uniformément avec un rouleau à pâte

Des outils destinés aux pâtes fourrées rendent la tâche facile

carrés) et badigeonnez les contours avec un œuf battu.

Placez une cuillerée de garniture d'un côté à partir de la ligne du centre. Pliez la pâte par-dessus la garniture pour que les rebords soient égaux, pressez entre les doigts et scellez en tranchant avec un coupe-pâte.

Placez les pâtes fourrées sur un plateau préalablement saupoudré de semoule ou de farine de riz et réfrigérez avant de cuire.

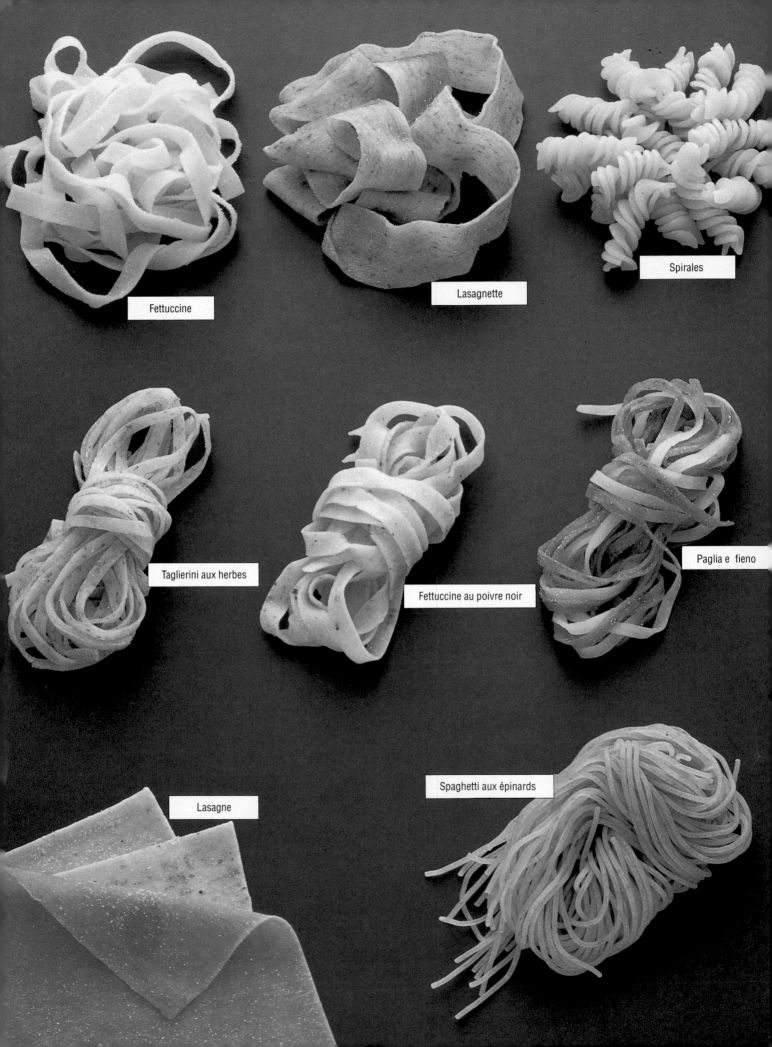

Fettuccine

Lasagnette

Spirales

Taglierini aux herbes

Fettuccine au poivre noir

Paglia e fieno

Lasagne

Spaghetti aux épinards

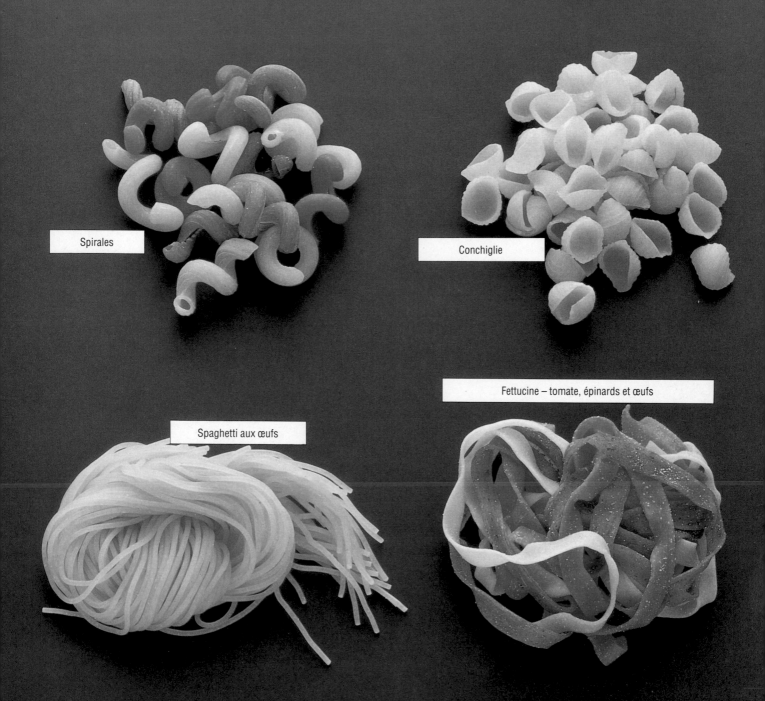

Les pâtes fraîches – pour la saveur, la texture et le plaisir.

De nos jours, les pâtes font partie d'un régime alimentaire équilibré.

Elles cuisent en quelques minutes, se préparent en un tournemain et les résultats sont délicieux.

Spirales

Conchiglie

Fettucine – tomate, épinards et œufs

Spaghetti aux œufs

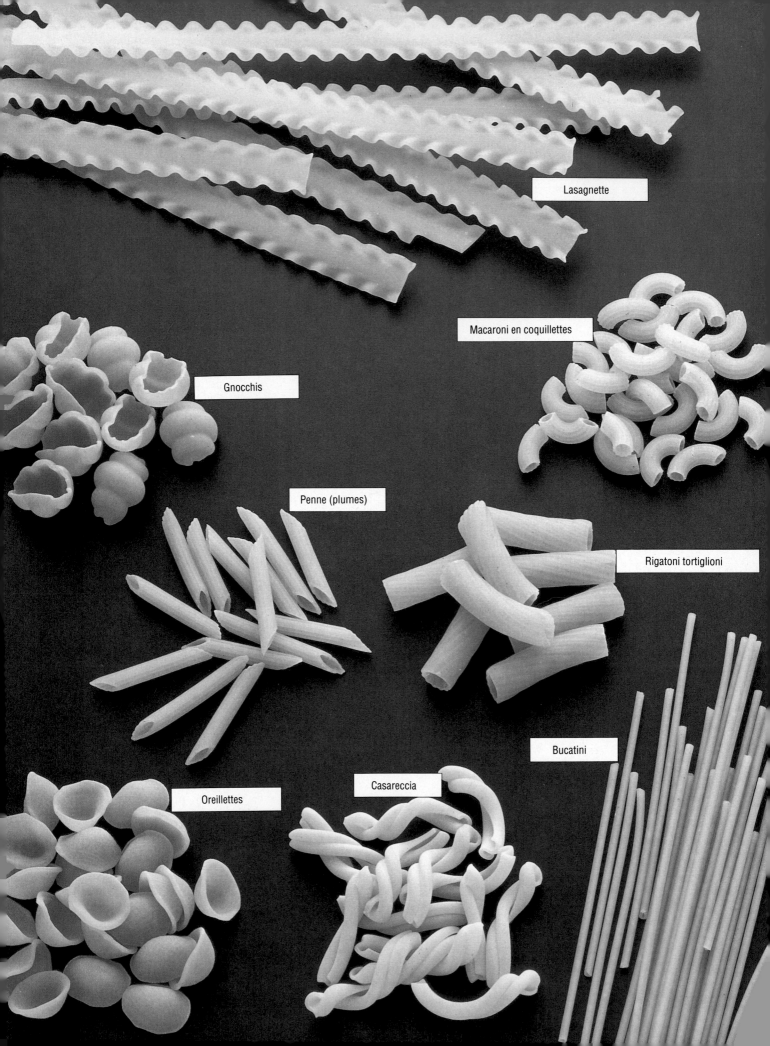

Lasagnette

Macaroni en coquillettes

Gnocchis

Penne (plumes)

Rigatoni tortiglioni

Bucatini

Oreillettes

Casareccia

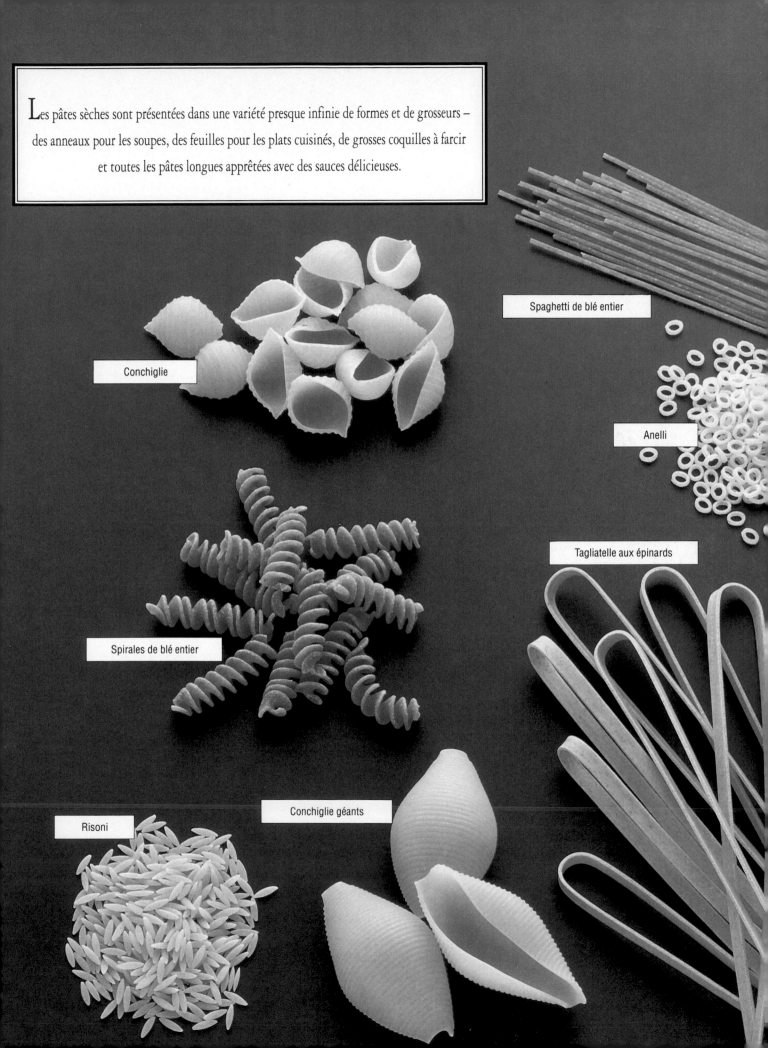

Les pâtes sèches sont présentées dans une variété presque infinie de formes et de grosseurs – des anneaux pour les soupes, des feuilles pour les plats cuisinés, de grosses coquilles à farcir et toutes les pâtes longues apprêtées avec des sauces délicieuses.

Spaghetti de blé entier

Conchiglie

Anelli

Tagliatelle aux épinards

Spirales de blé entier

Conchiglie géants

Risoni

LE PREMIER SERVICE

Imaginez une assiette de pâtes légèrement arrosées de sauce ou mariées à des ingrédients débordants de saveur. Quelle merveilleuse façon de commencer un repas ! De plus, accompagnées d'une salade, ces mêmes recettes constitueront d'excellents repas légers.

SOUPE AUX CREVETTES ET AU BASILIC

45 ml (3 c. à s.) d'huile d'olive
20 ml (1½ c. à s.) de beurre
2 gousses d'ail
1 petit oignon rouge, émincé
2 branches de céleri, en lanières de 2 à 3 cm (¾ à 1¼ po)
3 petites carottes, émincées
15 ml (1 c. à s.) de persil haché fin
30 ml (2 c. à s.) de basilic haché fin
sel et poivre noir fraîchement moulu
1 pincée de poivre de Cayenne
450 g (1 lb) de crevettes moyennes fraîches, décortiquées et déveinées
125 ml (½ tasse) de xérès
1 L (4 tasses) de bouillon de volaille
75 g (2 ½ oz) de conchigliette
60 ml (¼ tasse) de crème
basilic

1 Faire chauffer l'huile et le beurre dans une grande casserole. Y ajouter l'ail et l'oignon rouge. Faire sauter 2 à 3 minutes.
2 Ajouter le céleri et les carottes et les faire dorer. Y incorporer le persil et le basilic et assaisonner au goût. Remuer rapidement, ajouter les crevettes et mélanger complètement. Retirer les gousses d'ail.
3 Incorporer le xérès, augmenter le feu et faire cuire 2 à 3 minutes. Y verser le bouillon de volaille, porter à ébullition et laisser mijoter 5 minutes.

4 Ajouter les pâtes et laisser mijoter jusqu'à ce qu'elles soient *al dente*.
5 Y remuer la crème, rectifier l'assaisonnement et garnir de basilic.

4 PORTIONS

SOUPE AU BROCOLI

30 ml (2 c. à s.) d'huile d'olive
1 gros oignon, émincé
60 g (2 oz) de prosciutto ou de jambon de Parme, en dés
1 gousse d'ail, écrasée
125 ml (½ tasse) de bouillon de volaille
60 g (2 oz) de stelline (étoiles) ou autres pâtes à potage
225 g (½ lb) de brocoli, en bouquets et les tiges en julienne
sel et poivre noir fraîchement moulu
parmesan fraîchement râpé

1 Faire chauffer l'huile dans une grande poêle. Y faire sauter l'oignon, le prosciutto et l'ail 4 à 5 minutes.
2 Incorporer le bouillon de volaille, porter à ébullition. Couvrir aux trois quarts et laisser mijoter 10 minutes.
3 Ajouter les pâtes et le brocoli. Faire cuire jusqu'à ce que les pâtes soient *al dente* et le brocoli, croquant mais tendre. Assaisonner au goût. Servir dans des assiettes creuses réchauffées. Accompagner de parmesan.

4 PORTIONS

SOUPE AUX POIREAUX ET À LA CITROUILLE

675 g (1½ lb) de morceaux de citrouille avec l'écorce
60 ml (¼ tasse) de beurre
2 blancs de poireaux, émincés
1 gros oignon doux, haché
350 g (¾ lb) de pommes de terre, pelées et en dés
500 ml (2 tasses) de lait
500 ml (2 tasses) de bouillon de volaille
75 g (2½ oz) d'orzo ou risoni
sel et poivre blanc
1 pincée de poivre de Cayenne
250 ml (1 tasse) de crème
15 ml (1 c. à s.) de menthe hachée fin

1 Préchauffer le four à 190 °C (375 °F).
2 Mettre les morceaux de citrouille, l'écorce vers le haut, dans un grand plat à gratin, en prenant soin de bien les tasser. Mouiller de 125 ml (½ tasse) d'eau et faire cuire 1 heure au four.
3 Faire chauffer la moitié du beurre et y faire suer les poireaux jusqu'à ce qu'ils soient tendres. Les retirer de la poêle et y faire dorer l'oignon et les pommes de terre. Ajouter le lait et faire bouillir doucement pendant 20 minutes. Ne pas s'inquiéter si le lait réduit, car il en faut juste assez pour empêcher les aliments de coller à la poêle.
4 Lorsque la citrouille est tendre et dorée, la retirer du four et la laisser refroidir avant de la peler. Enlever toute surface excessivement brunie.
5 Entre-temps, porter à ébullition le bouillon de volaille. Ajouter les pâtes et les faire cuire à peine. Les retirer à l'aide d'une écumoire et les réserver avec les poireaux. Réserver le bouillon.
6 Réduire en purée la citrouille et le mélange aux pommes de terre, en utilisant un robot culinaire ou en les forçant à travers une fine passoire. Assaisonner, au goût, de sel, de poivre et de poivre de Cayenne.
7 Transvider la purée dans une casserole et y incorporer le bouillon réservé. Ajouter la crème, porter à ébullition et y remuer les poireaux et les pâtes. Si la soupe est trop épaisse, l'éclaircir avec un peu de bouillon ou d'eau. Rectifier l'assaisonnement et y remuer la menthe.

4 À 6 PORTIONS

Soupe aux poireaux et à la citrouille

SALADE DE FUSILLI AUX COURGETTES

Si vous ne trouvez pas de bocconcini frais, ne le remplacez pas par de la mozzarella; choisissez plutôt un fromage frais comme la feta ou le chèvre.

150 g (⅓ lb) de fusilli aux épinards
110 g (¼ lb) de courgettes, tranchées
4 filets d'anchois, ayant trempé 45 minutes dans du lait
625 ml (2½ tasses) de céleri, tranché, et quelques feuilles tendres hachées grossièrement
250 ml (1 tasse) de tomates cerises ou de petites tomates, en quartiers
150 g (⅓ tasse) de bocconcini, en petits morceaux
15 ml (1 c. à s.) de basilic haché grossièrement

VINAIGRETTE
80 ml (⅓ tasse) de vinaigre de vin blanc
60 ml (¼ tasse) d'huile d'olive
sel et poivre noir fraîchement moulu

1 Faire cuire les pâtes dans de l'eau bouillante salée jusqu'à ce qu'elles soient *al dente*. Égoutter, rincer sous l'eau froide et égoutter de nouveau. Verser les pâtes dans un saladier et les mouiller d'un peu d'huile végétale.
2 Saler légèrement les courgettes et les laisser dégorger 30 minutes dans une passoire. Rincer, égoutter et ajouter aux pâtes.
3 Assécher les filets d'anchois et en réserver 2 pour la garniture. Couper les autres en petits morceaux. Les ajouter au saladier ainsi que le céleri et ses feuilles, les tomates, les bocconcini et le basilic.
4 POUR PRÉPARER LA VINAIGRETTE :
Bien mélanger le vinaigre, l'huile, le sel et le poivre. Verser sur la salade et bien incorporer. Garnir des filets d'anchois réservés. Couvrir d'une pellicule plastique et réfrigérer au moins 1½ heure avant de servir.

4 PORTIONS

≈ **SOUPE AU POIREAUX ET À LA CITROUILLE**

La cuisson au four donne à la citrouille une saveur plus veloutée; mais pour gagner du temps, vous pouvez la peler et la faire bouillir avec les pommes de terre.

≈ **LES BOCCONCINI**

Ce sont de petites boules de mozzarella fraîche qui se conservent 4 à 5 jours. Ce fromage se mange tel quel; on le fait rarement gratiner.

≈ SALADE TRICOLORE

Remplacez le poulet par une autre sorte de volaille; les graines de sésame grillées et les feuilles croustillantes des épinards s'y marieront tout aussi bien.

SALADE TRICOLORE

225 g (½ lb) de spirales fraîches aux tomates ou 195 g (6½ oz) de pâtes sèches aux tomates
5 ml (1 c. à t.) d'huile d'arachide
225 g (½ lb) de poulet cuit, tranché
60 ml (¼ tasse) de graines de sésame, grillées
1 grosse botte d'épinards ou de bettes à carde, rincés, asséchés et taillés en bouchées
1 botte d'oignons verts, émincés

VINAIGRETTE
60 ml (¼ tasse) d'huile d'arachide
60 ml (¼ tasse) d'huile d'olive
60 ml (¼ tasse) de sauce soja
60 ml (¼ tasse) de vinaigre de riz
20 à 40 ml (1½ à 2½ c. à s.) de sucre
sel et poivre noir fraîchement moulu

1 Faire cuire les pâtes dans de l'eau bouillante salée jusqu'à ce qu'elles soient *al dente*. Égoutter, rincer sous l'eau froide et égoutter de nouveau. Les mettre dans un saladier et y remuer un peu d'huile d'arachide. Laisser refroidir.

2 Ajouter le poulet et les graines de sésame.

3 POUR PRÉPARER LA VINAIGRETTE : Mettre dans un bol tous les ingrédients de la vinaigrette et bien mélanger.

4 Verser sur la salade. Couvrir et réfrigérer au moins 2 heures.

5 Au moment de servir, incorporer les oignons verts et les épinards à la salade.

4 À 6 PORTIONS

≈ GNOCCHETTI À LA RICOTTA

Les gnocchetti accompagnent très bien un ragoût ou une casserole.

GNOCCHETTI À LA RICOTTA

350 g (¾ lb) de ricotta sèche
310 ml (1¼ tasse) de farine
45 ml (3 c. à s.) de chapelure blanche fine
375 ml (1½ tasse) de parmesan, râpé
2 œufs entiers, plus 2 jaunes d'œufs, battus ensemble
sel, poivre blanc et muscade
80 ml (⅓ tasse) de beurre

1 Dans un bol, mélanger la ricotta, la farine, la chapelure, la moitié du parmesan et les œufs. Ajouter une pincée de chaque assaisonnement et incorporer pour obtenir une pâte sèche. Ajouter un peu de farine ou quelques gouttes de lait si nécessaire, pour obtenir la consistance désirée. Tout dépend de la texture de la ricotta utilisée.

2 Bien pétrir la pâte, puis la laisser reposer 15 minutes, légèrement recouverte d'un linge. Avec les mains, façonner la pâte en 2 ou 3 longues saucisses de 1 cm (½ po) de diamètre. Laisser reposer de nouveau 15 minutes. Trancher la pâte en biais pour obtenir des morceaux de 2 cm (¾ po) de long.

3 Faire cuire les gnocchis 3 minutes dans de l'eau bouillante non salée. Entre-temps, faire dorer le beurre à feu doux. Égoutter les gnocchis et les déposer dans un plat de service chaud. Y verser le beurre et saupoudrer du reste du parmesan avant de servir.

4 PORTIONS

SALADE DE GNOCCHIS AU THON

225 g (½ lb) de brocoli, en bouquets
225 g (½ lb) de chou-fleur, en bouquets
225 g (½ lb) de gnocchis secs (pâtes, et non des boulettes)
1 botte d'oignons verts, émincés, avec un peu de vert
4 petites tomates, en quartiers
1 gousse d'ail, émincée
60 ml (¼ tasse) de persil haché fin
125 ml (½ tasse) d'huile d'olive extra vierge
jus de 1 petit citron
2,5 ml (½ c. à t.) de sel de mer
poivre noir fraîchement moulu
450 g (1 lb) de thon à l'huile en conserve, égoutté

1 Porter à ébullition une grande casserole remplie d'eau, ajouter 1 pincée de sel et y plonger le brocoli et le chou-fleur. Faire cuire 2 à 3 minutes jusqu'à ce que les légumes soient encore croquants. Les retirer à l'aide d'une écumoire et les passer sous l'eau froide. Les secouer pour les assécher et les déposer dans un grand saladier.

2 Mettre les pâtes dans la même eau bouillante et les faire cuire 15 minutes ou jusqu'à ce qu'elles soient *al dente*. Rincer sous l'eau froide et bien égoutter. Les mettre dans le saladier.

3 Y ajouter les oignons verts, les tomates, l'ail, le persil, l'huile d'olive, le jus de citron, le sel de mer et le poivre et mélanger légèrement.

4 Émietter grossièrement le thon et l'incorporer à la salade. Servir à la température ambiante.

4 PORTIONS, POUR UN REPAS LÉGER

SALADE AUX HARICOTS ET AUX PÂTES

225 g (½ lb) de macaroni en coudes ou autres petites pâtes creuses
750 ml (3 tasses) de haricots cannellini cuits (ou de petits haricots blancs)
1 petit oignon rouge, émincé
1 petite branche de céleri, tranchée
2 petites tomates, en quartiers
60 g (2 oz) de petites olives noires
feuilles d'origan

VINAIGRETTE
125 ml (½ tasse) d'huile d'olive extra vierge
7,5 ml (1½ c. à t.) de moutarde forte
jus de 1 citron
15 ml (1 c. à s.) d'origan ou de persil, haché fin
sel et poivre noir fraîchement moulu
1 gousse d'ail, écrasée

1 Faire cuire les pâtes dans de l'eau bouillante salée jusqu'à ce qu'elles soient *al dente*. Égoutter, rincer sous l'eau froide et égoutter de nouveau. Verser les pâtes dans un saladier et les mouiller d'un peu d'huile pour les empêcher de coller. Laisser refroidir.

2 Ajouter les haricots, l'oignon, le céleri, les tomates et les olives.

3 POUR PRÉPARER LA VINAIGRETTE : Mettre tous les ingrédients de la vinaigrette dans un bol et bien mélanger.

4 Verser sur la salade. Incorporer soigneusement et saler, poivrer au goût. Couvrir et réfrigérer. Au moment de servir, mélanger légèrement la salade et la garnir d'origan.

4 PORTIONS

SALADE DE RISONI AU SAFRAN

350 g (¾ lb) de risoni (grains de riz)
125 ml (½ tasse) d'huile d'olive
2,5 ml (½ c. à t.) de safran en poudre
250 ml (1 tasse) de pignons
125 ml (½ tasse) de raisins de Corinthe
2 gousses d'ail, écrasées
jus de 1 citron
1 ml (¼ c. à t.) de cumin moulu
5 ml (1 c. à t.) de curcuma
2,5 ml (½ c. à t.) de sucre
sel et poivre noir fraîchement moulu
1 petit poivron vert, émincé en lanières de 1 à 2 cm (½ à ¾ po) de long
45 ml (3 c. à s.) de persil haché fin
45 ml (3 c. à s.) de menthe hachée fin
45 ml (3 c. à s.) de coriandre hachée fin
feuilles de coriandre

1 Faire cuire les pâtes dans de l'eau bouillante salée, 1 à 2 minutes de moins que le temps de cuisson recommandé sur l'emballage. Égoutter, rincer sous l'eau froide et égoutter de nouveau. Y remuer un peu d'huile pour les empêcher de coller.

2 Faire chauffer l'huile dans une petite casserole et ajouter le safran, les pignons et les raisins. Faire cuire doucement jusqu'à ce que les pignons soient rôtis et que le safran dégage son parfum. Retirer du feu et ajouter l'ail, le jus de citron, le cumin, le curcuma, le sucre, le sel et le poivre au goût. Laisser reposer au moins 5 minutes.

3 Incorporer aux pâtes le poivron, les aromates et le mélange aux pignons. Garnir de coriandre avant de servir.

4 À 6 PORTIONS, EN ACCOMPAGNEMENT

≈ **SALADE DE RISONI AU SAFRAN**

Cette délicieuse salade de « grains de riz » épicée, au goût légèrement sucré, accompagne très bien les viandes grillées.

*Lorsque vous faites cuire
des pâtes pour faire une
salade, il est important de
les rincer sous l'eau froide
dès qu'elles sont cuites,
et de bien les égoutter.
Remuez-y un peu d'huile
pour les empêcher de coller.*

SALADE AU PASTRAMI, AUX CHAMPIGNONS ET AU CONCOMBRE

*Le pastrami est fait à partir d'une coupe de bœuf maigre,
ce qui donne un repas à faible teneur en calories
et riche en protéines et en vitamines.*

**225 g (½ lb) de lasagnette,
brisées en quatre
225 g (½ lb) de pastrami, en lanières
1 branche de céleri, tranchée
2 petites tomates, en quartiers
1 concombre d'environ 30 cm (12 po)
de long, émincé
180 ml (¾ tasse) de champignons, émincés
1 ml (¼ c. à t.) de coriandre hachée fin**

VINAIGRETTE
**80 ml (⅓ tasse) d'huile d'olive
45 ml (3 c. à s.) de vinaigre de vin rouge
2,5 ml (½ c. à t.) de moutarde forte
sel et poivre noir fraîchement moulu
1 gousse d'ail, écrasée
1 ml (¼ c. à t.) d'huile pimentée**

1 Faire cuire les lasagnette dans de l'eau
bouillante salée jusqu'à ce qu'elles soient
al dente. Égoutter, rincer sous l'eau froide
et égoutter de nouveau. Mettre les pâtes
dans un saladier.
2 Ajouter le pastrami, le céleri, les tomates,
le concombre et les champignons.
3 POUR PRÉPARER LA VINAIGRETTE : Mettre
tous les ingrédients de la vinaigrette dans
un bol et bien mélanger.
4 Incorporer à la salade, couvrir et réfrigérer quelques heures.
5 Rectifier l'assaisonnement et parsemer
de coriandre avant de servir.

4 PORTIONS

SALADE AU THON, AUX HARICOTS ET À L'OIGNON

Cette salade est aussi savoureuse servie chaude que froide.

**225 g (½ lb) de haricots verts, parés et
taillés en morceaux de 3 cm (1¼ po) de long
300 g (⅔ lb) de penne ou de fusilli
125 ml (½ tasse) d'huile d'olive
225 g (½ lb) de filet de thon frais, tranché
en morceaux de 3 à 4 cm (1¼ à 1½ po)
1 oignon rouge, émincé
5 ml (1 c. à t.) de vinaigre balsamique
sel et poivre noir fraîchement moulu**

1 Faire cuire les haricots dans de l'eau
bouillante, 1 à 2 minutes ou jusqu'à ce
qu'ils soient tendres, mais encore croquants.
Les égoutter et les passer sous l'eau froide.
Les égoutter de nouveau et les mettre dans
un saladier.
2 Faire cuire les pâtes dans de l'eau
bouillante salée jusqu'à ce qu'elles soient
al dente. Égoutter, rincer sous l'eau froide
et égoutter de nouveau. Réserver.
3 Faire chauffer la moitié de l'huile dans
une poêle à frire. Ajouter le thon et l'oignon.
Faire sauter jusqu'à ce que le thon soit
complètement cuit. Ajouter le vinaigre.
Augmenter le feu et faire cuire rapidement
jusqu'à ce que le vinaigre réduise et enrobe
légèrement le thon. Retirer le thon et l'oignon et incorporer à la salade.
4 Mélanger légèrement la salade. Mouiller
du reste de l'huile. Saler, poivrer au goût.
Laisser refroidir à la température ambiante
avant de servir.

4 PORTIONS

*Salade au thon, aux haricots et à l'oignon (en haut) et
Salade au pastrami, aux champignons et au concombre
(en bas).*

TOMATES ET POIVRONS FARCIS

*Les tomates et les poivrons farcis se servent chauds ou froids,
en hors-d'œuvre, en repas léger ou lors d'un buffet.
Ils sont délicieux avec de l'agneau, du veau
ou de la volaille.*

3 grosses tomates, décalottées

**3 gros poivrons verts, décalottés,
et épépinés**

**60 à 75 ml (4 à 5 c. à s.) de bouillon
de volaille ou de légumes**

FARCE

45 ml (3 c. à s.) d'huile d'olive

1 gros oignon, haché

2 gousses d'ail, écrasées

1 ml (¼ c. à t.) de poivre de Cayenne

sel et poivre noir fraîchement moulu

15 ml (1 c. à s.) de raisins de Corinthe

15 ml (1 c. à s.) de pignons

15 ml (1 c. à s.) de coriandre hachée

5 ml (1 c. à t.) de persil haché

**375 ml (1½ tasse) de risoni (grains de riz)
cuits ou autres pâtes à potage cuites**

**250 ml (1 tasse) de cheddar ou
d'emmenthal, râpé**

1 Préchauffer le four à 175 °C (350 °F).
2 POUR PRÉPARER LA FARCE : Faire
chauffer l'huile et y faire suer l'oignon et
l'ail. Ajouter le poivre de Cayenne, le sel et
le poivre au goût, les raisins, les pignons,
la coriandre et le persil. Faire sauter jusqu'à
ce que les pignons soient dorés. Verser le
mélange dans un bol et y incorporer les
pâtes cuites et le fromage.
3 Évider les tomates. Hacher finement
la pulpe et bien l'incorporer à la farce.
4 Partager la farce entre les tomates et
les poivrons évidés, en les garnissant légèrement. Disposer les poivrons dans un plat à
gratin peu profond. Mouiller chacun d'eux
de 15 ml (1 c. à s.) de bouillon. Faire cuire
30 minutes au four.
5 Ajouter les tomates au plat et prolonger
la cuisson de 20 minutes ou jusqu'à ce que
les légumes farcis soient tendres.

6 PORTIONS

LUMACHE AUX ARTICHAUTS

60 ml (¼ tasse) d'huile d'olive

1 gros oignon, haché grossièrement

2 gousses d'ail, écrasées

15 ml (1 c. à s.) de basilic séché

30 ml (2 c. à s.) de persil haché

1 pincée de poudre de chili

5 ml (1 c. à t.) d'origan séché

**1,5 L (6½ tasses) de tomates italiennes
pelées en conserve, égouttées
(le jus réservé)**

1 ml (¼ c. à t.) de sel

**350 g (¾ lb) de lumache
ou autre pâte façonnée**

**425 ml (1¾ tasse) de cœurs d'artichauts
en conserve, égouttés (le jus réservé)**

45 ml (3 c. à s.) de pecorino râpé

1 Faire chauffer l'huile dans une grande
casserole. Y faire sauter l'oignon, l'ail, le
basilic, le persil, le chili et l'origan pendant
5 minutes.
2 Hacher grossièrement les tomates et les
ajouter à la casserole. Saler. Laisser mijoter,
sans couvrir, environ 45 minutes ou jusqu'à
ce que le mélange épaississe. Ajouter les
jus réservés, remuer et laisser mijoter
15 minutes.
3 Faire cuire les pâtes dans de l'eau
bouillante salée jusqu'à ce qu'elles soient
al dente, les égoutter et réserver.
4 Couper chaque cœur d'artichaut en 6
et les mélanger, avec 30 ml (2 c. à s.) de
pecorino, à la sauce à l'oignon.
5 Ajouter les pâtes à la sauce, bien remuer
et verser dans des assiettes chaudes. Accompagner de pecorino.

4 PORTIONS

LES CHAMPIGNONS PORCINI

*Les champignons porcini ou bolets frais cuits dans du
beurre sont vraiment délicieux. Vous pouvez obtenir à peu
près la même saveur en mélangeant des champignons
porcini séchés à une quantité égale de champignons blancs.
Choisissez de très gros champignons blancs afin de pouvoir
recréer la texture des porcini frais.*

LINGUINE AUX CHAMPIGNONS

15 g (½ oz) de champignons porcini
ou bolets séchés

30 ml (2 c. à s.) de beurre

1 petit oignon, haché fin

450 g (1 lb) de très gros champignons
blancs, tranchés

15 ml (1 c. à s.) de sauge hachée

15 ml (1 c. à s.) de persil haché fin

sel et poivre noir fraîchement moulu

450 g (1 lb) de linguine fraîches
ou 300 g (⅔ lb) de pâtes sèches

80 ml (⅓ tasse) de parmesan
fraîchement râpé

1 Faire tremper les champignons porcini
dans 180 ml (¾ tasse) d'eau tiède pendant
45 à 60 minutes. Les égoutter et filtrer le
liquide à l'étamine pour en éliminer le
sable. Émincer les champignons.
2 Faire chauffer la moitié du beurre
dans une poêle et y faire tomber l'oignon.
Ajouter les champignons porcini et le
liquide filtré et faire cuire jusqu'à l'évapora-
tion du liquide. Ajouter le reste du beurre,
les champignons blancs et les aromates.
Saler, poivrer, couvrir et laisser mijoter
15 à 20 minutes.
3 Entre-temps, faire cuire les pâtes dans
de l'eau bouillante salée jusqu'à ce qu'elles
soient *al dente*. Les égoutter et les mélanger
à la sauce, avec le parmesan.

4 PORTIONS

FRITTATA DE PÂTES AUX ÉPINARDS

125 ml (½ tasse) de parmesan, râpé

5 œufs

125 ml (½ tasse) de lait

125 ml (½ tasse) de crème

15 ml (1 c. à s.) d'huile d'olive

15 ml (1 c. à s.) de farine

sel et poivre

225 g (½ lb) de spaghetti ou de fettucine
aux épinards, cuits

10 ml (2 c. à t.) d'aromates hachés
(persil, origan, ciboulette)

15 ml (1 c. à s.) de pignons

1 Préchauffer le four à 175 °C (350°F).
2 Dans un bol, bien mélanger le parmesan,
les œufs, le lait, la crème, l'huile et la farine.
Saler, poivrer. Y incorporer les pâtes et les
aromates.
3 Beurrer un moule à tarte de 20 cm (8 po)
de diamètre. Le foncer de 2 bandes de papier
d'aluminium croisées et beurrées. Y verser
le mélange et parsemer de pignons. Faire
cuire 35 minutes au four ou jusqu'à ce que
l'omelette soit ferme et bien dorée.
4 Retirer du four. Laisser refroidir légèrement avant de démouler en utilisant les
bandes de papier comme poignées. Servir
chaud ou froid.

**4 À 6 PORTIONS, EN REPAS LÉGER
AVEC UNE SALADE**

*Linguine aux
champignons*

≈ LES FRITTATAS

*Les pâtes précuites sont
idéales pour faire les
recettes de frittata. Vous
pouvez ajouter, au
mélange d'œufs et de
pâtes, des morceaux de
jambon ou de salami,
des champignons ou du
fromage. Vous pouvez
même utiliser un reste de
pâtes enrobées de sauce,
pourvu que la sauce ne
soit pas trop liquide.*

Papillotes de plumes

PAPILLOTES DE PLUMES

225 g (½ lb) de penne (plumes)
15 ml (1 c. à s.) d'huile d'olive
2 oignons, émincés
4 poivrons rouges, en fines lanières
5 petites tomates, en minces quartiers
1 brin de romarin de 3 cm (1¼ po)
sel et poivre noir fraîchement moulu
2 petites courgettes, en julienne
125 ml (½ tasse) de bouillon de volaille

1 Préchauffer le four à 190 °C (375 °F).
2 Faire cuire les pâtes dans de l'eau bouillante salée et les égoutter 1 à 2 minutes avant qu'elles ne soient *al dente*.
3 Faire chauffer l'huile dans une grande poêle. Y faire suer les oignons et les poivrons 10 à 12 minutes.
4 Ajouter les tomates et le romarin. Assaisonner au goût. Couvrir partiellement et faire cuire à feu doux 10 minutes, en remuant souvent.
5 Ajouter les courgettes et le bouillon. Prolonger la cuisson 3 à 4 minutes ou jusqu'à ce qu'il ne reste environ que 60 ml (¼ tasse)

de liquide. Retirer le romarin et vérifier l'assaisonnement. Bien y incorporer les pâtes.
6 Couper 4 carrés de papier d'aluminium d'environ 30 cm (12 po) de côté. Partager le mélange aux pâtes entre chacun d'eux. Refermer chaque papier pour former une papillote et bien sceller pour que la vapeur ne s'échappe pas durant la cuisson. Mettre les papillotes dans un plat à gratin peu profond et faire cuire au four 15 minutes. Servir aussitôt, en prenant garde à la vapeur qui s'échappe lorsqu'on ouvre les papillotes.

4 PORTIONS

≈ LES PAPILLOTES

Le fait de faire cuire les pâtes et leur sauce en papillote permet à leur saveur de se développer et aide à en préserver l'humidité, ce qui les rend d'autant plus délicieuses.
Vous pouvez utiliser cette méthode de cuisson pour plusieurs recettes à base de pâtes. Il suffit d'utiliser des pâtes qui ne sont pas tout à fait cuites et de faire une sauce assez liquide pour faire cuire les aliments à la vapeur. Les papillotes doivent être bien scellées.

TARTE AUX PÂTES

FOND
180 g (6 oz) de vermicelle
15 ml (1 c. à s.) d'huile d'olive
2 œufs, légèrement battus
1 grosse pincée de muscade
45 ml (3 c. à s.) de parmesan râpé fin
sel et poivre noir fraîchement moulu

GARNITURE
125 ml (½ tasse) d'huile d'olive
1 gousse d'ail, écrasée
825 ml (3⅓ tasses) de tomates italiennes
pelées en conserve
zeste râpé de ½ grosse orange
15 ml (1 c. à s.) de menthe hachée fin
1 grosse pincée de sucre
110 g (¼ lb) de fontina ou Bel Paese, en
petits dés

1 Préchauffer le four à 190 °C (375 °F).
2 POUR PRÉPARER LE FOND : Faire cuire le vermicelle dans de l'eau bouillante salée jusqu'à ce qu'il soit *al dente*. L'égoutter et l'enrober de 15 ml (1 c. à s.) d'huile d'olive.
3 Dans un grand bol, incorporer les œufs, la muscade et le parmesan. Saler, poivrer. Bien y mélanger le vermicelle et l'enrober complètement du mélange aux œufs.
4 Beurrer un moule à tarte de 22 cm (9 po) de diamètre. En tapisser le fond et les côtés du mélange aux pâtes.
5 Couvrir le bord de la tarte, sans l'écraser, d'une bande de papier d'aluminium. Faire cuire au four 10 minutes ou jusqu'à ce que le mélange soit pris. Ne pas enlever le papier. Laisser chauffer le four.
6 POUR PRÉPARER LA GARNITURE : Faire chauffer l'huile dans une poêle et y faire suer l'ail 1 minute. Égoutter les tomates et réserver le jus. Concasser les tomates avec une cuiller de bois et les ajouter à la poêle. Faire cuire 5 minutes à feu doux, en remuant de temps en temps. Saler, poivrer au goût. Ajouter 60 ml (¼ tasse) du jus réservé et le zeste d'orange. Laisser mijoter jusqu'à ce que les tomates soient pulpeuses et épaisses, en remuant de temps à autre. Le mélange doit être assez épais.
7 Retirer du feu. Y incorporer la menthe et le sucre, puis laisser refroidir légèrement. Ajouter le fromage au mélange aux tomates et déposer, à la cuiller, dans le fond de pâte.
8 Faire cuire au four 30 minutes ou jusqu'à ce que le mélange soit pris. Laisser refroidir légèrement avant de servir.

6 PORTIONS

PAPPARDELLE AU SALAMI

10 ml (2 c. à t.) d'huile d'olive
5 ml (1 c. à t.) de beurre
½ petit oignon, haché fin
1 gousse d'ail, écrasée
110 g (¼ lb) de salami, émincé et taillé en
lanières
125 ml (½ tasse) de vin blanc sec
410 ml (1⅔ tasse) de tomates italiennes
pelées en conserve, égouttées
1 poivron rouge, haché
15 ml (1 c. à s.) de raisins secs
15 ml (1 c. à s.) de pignons
sel et poivre noir fraîchement moulu
1 pincée de muscade
1 pincée de sucre
125 ml (½ tasse) de crème
450 g (1 lb) de pappardelle (nids)
2,5 ml (½ c. à t.) de menthe hachée
15 ml (1 c. à s.) de parmesan
fraîchement râpé

1 Faire chauffer l'huile et le beurre dans une grande casserole. Y faire suer l'oignon et l'ail 5 minutes. Ajouter le salami puis le vin, et faire réduire à feu vif.
2 Presser les tomates pour en extraire le jus et les graines afin d'obtenir une pulpe très sèche. Ajouter dans la casserole la pulpe de tomate, le poivron, les raisins et les pignons. Assaisonner au goût et y remuer la muscade et le sucre. Baisser le feu, couvrir et faire cuire 15 à 20 minutes. Incorporer la crème.
3 Entre-temps, faire cuire les pâtes dans de l'eau bouillante salée jusqu'à ce qu'elles soient *al dente*. Les égoutter et les ajouter à la sauce avec la menthe. Mélanger pour enrober les pâtes de sauce et incorporer le parmesan. Verser dans un plat de service chaud. Accompagner de parmesan râpé.

4 PORTIONS

≈ **TARTE AUX PÂTES**

Les pâtes plates précuites font d'excellents fonds de tarte. Celles-ci seront d'autant plus intéressantes si vous leur ajoutez, lors du mélange avant la cuisson, du persil haché ou des graines de pavot.

≈ **PAPPARDELLE AU SALAMI**

La sauce de cette recette a une saveur sucrée très prononcée. Il est possible d'en atténuer le goût en omettant le salami.

SPIRALES AUX TOMATES ET AUX OLIVES

**9 ou 10 tomates mûres, pelées,
épépinées et en dés
160 ml (⅔ tasse) d'olives vertes
dénoyautées, tranchées
2 gousses d'ail, écrasées
60 ml (¼ tasse) de persil ou de basilic,
haché fin ou un mélange des deux
sel et poivre noir fraîchement moulu
125 ml (½ tasse) d'huile d'olive extra vierge
2 à 3 gouttes de vinaigre balsamique
350 g (¾ lb) de spirales fraîches
ou 300 g (⅔ lb) de pâtes sèches**

1 Mélanger les tomates, les olives, l'ail,
les aromates, le sel et le poivre dans un
grand saladier. Ajouter l'huile d'olive et
le vinaigre. Remuer pour bien enrober.
Couvrir et laisser reposer au moins 2 heures
à la température ambiante pour permettre
aux saveurs de se développer.
2 Faire cuire les pâtes dans de l'eau
bouillante salée jusqu'à ce qu'elles soient
al dente. Égoutter. Les mélanger à la sauce
juste avant de servir.

4 PORTIONS

RIGATONI À LA RICOTTA

**300 g (⅔ lb) de rigatoni ou autres pâtes
en forme de tube creux
huile végétale
80 ml (⅓ tasse) de beurre doux, fondu
parmesan fraîchement râpé
feuilles de menthe ou de sauge**

**GARNITURE
300 g (⅔ lb) de ricotta sèche
180 ml (¾ tasse) de parmesan
fraîchement râpé
sel et muscade fraîchement râpée**

1 Faire cuire les pâtes dans de l'eau
bouillante salée jusqu'à ce qu'elles soient
al dente. Les égoutter et les mouiller d'un
peu d'huile végétale. Laisser refroidir
légèrement.
2 Préchauffer le four à 190 °C (375 °F).
3 POUR PRÉPARER LA GARNITURE:
Mélanger, dans un bol, la ricotta et le
parmesan. Ajouter le sel et la muscade au
goût. À l'aide d'une poche munie d'une
douille de 1 ou 2 cm de diamètre, farcir
chaque rigatoni de la garniture au fromage.

4 Graisser un plat à gratin peu profond,
y ranger les pâtes farcies et les arroser
uniformément de beurre fondu. Parsemer
d'un peu de parmesan et ajouter quelques
feuilles de menthe ou de sauge. Faire cuire
au four 15 minutes.
5 Transvider le mélange dans un plat de
service chaud. Remplacer les feuilles de
menthe ou de sauge cuites par des feuilles
fraîches et servir.

4 PORTIONS

FETTUCINE AUX ANCHOIS

**450 g (1 lb) de fettucine fraîches aux
épinards ou 300 g (⅔ lb) de pâtes sèches**

**SAUCE AUX ANCHOIS
45 ml (3 c. à s.) de beurre
30 ml (2 c. à s.) d'huile d'olive
1 petit oignon, émincé
4 à 6 filets d'anchois, émincés
250 ml (1 tasse) de champignons, tranchés
poivre noir fraîchement moulu**

**SAUCE AUX ŒUFS
2 jaunes d'œufs
250 ml (1 tasse) de crème
30 ml (2 c. à s.) de parmesan râpé
poivre noir fraîchement moulu
5 ml (1 c. à t.) de ciboulette, en morceaux
de 1 cm (½ po) de long**

1 Faire cuire les pâtes dans de l'eau
bouillante salée jusqu'à ce qu'elles soient
al dente, les égoutter et les enrober d'un
peu d'huile. Réserver 30 ml (2 c. à s.) du
liquide de cuisson.
2 POUR PRÉPARER LA SAUCE AUX
ANCHOIS: Faire chauffer le beurre et l'huile
dans une casserole. Y faire suer l'oignon
5 minutes. Ajouter les anchois et les faire
sauter. Y remuer les champignons pour
bien les enrober. Incorporer les 20 ml
(2 c. à s.) de liquide réservé. Poivrer.
3 POUR PRÉPARER LA SAUCE AUX ŒUFS:
Battre les jaunes d'œufs, la crème et le
parmesan.
4 Incorporer les pâtes au mélange aux
champignons. Ajouter la sauce aux œufs et
la ciboulette. Mélanger jusqu'à ce que les
pâtes soient bien enrobées et que la sauce
soit réchauffée et légèrement épaissie.
Garnir de parmesan et de poivre noir.

4 PORTIONS

PENNE À L'AUBERGINE ET AU PECORINO

*Ce plat est riche et piquant. Pour varier, vous pouvez
y ajouter d'autres légumes tels que des courgettes et
des olives. Si vous préférez un plat plus léger, faites sauter
rapidement les cubes d'aubergine dans l'huile, puis
faites-les dorer sous le gril en les remuant à quelques reprises.*

**675 g (1½ lb) de jeunes aubergines,
en cubes de 2 cm (¾ po)**

250 ml (1 tasse) d'huile d'olive

2 gousses d'ail, écrasées

½ poivron vert moyen, émincé

**410 ml (1⅔ tasse) de tomates italiennes
pelées en conserve, égouttées
et réduites en pulpe**

sel et poivre noir fraîchement moulu

**15 ml (1 c. à s.) de basilic
ou 30 ml (2 c. à s.) de persil, haché**

**450 g (1 lb) de penne (plumes) fraîches
ou 350 g (¾ lb) de pâtes sèches**

125 ml (½ tasse) de pecorino, râpé

1 Mettre les aubergines dans une grande
passoire et les saupoudrer de sel. Laisser
dégorger 30 minutes pour en retirer
l'amertume. Les rincer et les assécher.

2 Faire chauffer un peu d'huile dans une
grande poêle et y faire frire les aubergines,
en plusieurs portions, en ajoutant un peu
d'huile si nécessaire. Les retirer dès qu'elles
sont dorées et les réserver.

3 Faire sauter l'ail 30 secondes. Ajouter le
poivron et faire frire 1 minute, puis ajouter
les tomates. Assaisonner au goût et laisser
mijoter 10 minutes. Ajouter les aubergines
et le basilic à la sauce et laisser mijoter
2 minutes. Rectifier l'assaisonnement et
réserver au chaud.

4 Faire cuire les pâtes dans de l'eau
bouillante salée jusqu'à ce qu'elles soient
al dente. Les égoutter et les incorporer à
la sauce avec le fromage.

4 PORTIONS

≈ **LA QUALITÉ
DES INGRÉDIENTS**

*La qualité des ingré-
dients, surtout lorsqu'il y
en a peu dans une recette,
fait toute la différence
entre un plat ordinaire
et un plat au goût
exceptionnel. Choisissez
le meilleur fromage dispo-
nible et râpez-le juste
avant de l'utiliser.*

PENNE AUX POIREAUX, AUX ÉPINARDS ET AUX PIMENTS DOUX RÔTIS

*Ce plat au goût léger mais débordant de saveur
peut être servi en entrée ou constituer un repas léger
suivi d'un fromage et de fruits. Économique et facile
à préparer, il peut être rehaussé de tranches de prosciutto,
de crevettes ou même de thon frais sauté.*

3 gros poireaux, parés
350 g (3¼ lb) d'épinards
60 ml (¼ tasse) de beurre
1 petit oignon, émincé
sel et poivre noir fraîchement moulu
½ gros piment doux rôti
(un morceau d'environ 8 cm sur 4 cm
ou 3¼ po sur 1½ po), en fines lanières
300 g (⅔ lb) de penne (plumes)
parmesan fraîchement moulu

*Penne aux poireaux,
aux épinards et
aux piments doux rôtis*

1 Émincer finement les poireaux, le blanc et le vert. Parer les épinards et émincer les feuilles.
2 Faire chauffer le beurre dans une grande poêle. Y faire suer l'oignon 4 à 5 minutes. Ajouter les poireaux et les épinards. Saler, poivrer et faire cuire 10 à 15 minutes à feu doux. Ajouter le piment doux rôti 5 minutes avant la fin de la cuisson. Rectifier l'assaisonnement.
3 Faire cuire les pâtes dans de l'eau bouillante salée jusqu'à ce qu'elles soient *al dente*. Les égoutter et les mettre dans un plat chaud. Arroser de la sauce aux légumes et parsemer de parmesan. Accompagner de parmesan.

4 PORTIONS

LASAGNE AUX CHAMPIGNONS ET AUX ÉPINARDS

Vous pouvez utiliser 9 feuilles de lasagne sèches aux épinards pour cette recette, ou préparer des lasagnes fraîches.

LASAGNES FRAÎCHES AUX ÉPINARDS
225 g (½ lb) d'épinards surgelés, dégelés
2 œufs
625 ml (2½ tasses) de farine tout usage
ou 375 ml (1½ tasse) de farine et
125 ml (½ tasse) de semoule de blé dur
2,5 ml (½ c. à t.) de sel
1 pincée de poivre blanc et 1 de muscade

SAUCE
60 ml (¼ tasse) de beurre
450 g (1 lb) de champignons, émincés
2 gousses d'ail, écrasées
1 ml (¼ c. à t.) de muscade râpée
sel et poivre noir fraîchement moulu
5 ml (1 c. à t.) de jus de citron
60 ml (¼ tasse) de farine tout usage
750 ml (3 tasses) de lait

GARNITURE À LA RICOTTA
500 ml (2 tasses) de ricotta
1 petit œuf, battu
60 ml (¼ tasse) de persil haché fin
60 ml (¼ tasse) de parmesan, râpé
225 g (½ lb) de mozzarella, râpée

1 POUR PRÉPARER LES LASAGNES FRAÎCHES AUX ÉPINARDS : Bien éponger les épinards dans un linge propre. Les réduire en purée au robot culinaire, en ajoutant 1 œuf.

2 Incorporer la farine aux assaisonnements et creuser un puits au centre du mélange. Y casser le second œuf et le battre à la fourchette 7 à 8 fois avant d'incorporer la farine. Lorsque le mélange devient sec, ajouter la purée aux épinards et l'incorporer dans la farine. Poursuivre jusqu'à ce que la pâte devienne collante et difficile à manier à la fourchette. Pétrir alors à la main en utilisant, si nécessaire, un peu de farine pour obtenir une boule lisse et élastique. Laisser reposer 20 minutes au moins. Cette étape peut s'effectuer au robot culinaire.

3 Diviser la pâte en 3 ou 4 boules et les couvrir d'une pellicule plastique ou d'un linge. Abaisser chaque boule en une mince feuille, en utilisant un laminoir ou un rouleau à pâtisserie. Laisser reposer les feuilles avant de les couper.

4 Dans une grande casserole remplie d'eau bouillante salée, faire cuire les feuilles de lasagne, en plusieurs temps, pendant 1 minute. Les retirer à l'aide d'une écumoire et les égoutter sur un linge avant de poursuivre. Pour des pâtes sèches, les faire cuire selon le mode d'emploi sur l'emballage et les égoutter.

5 Préchauffer le four à 175 °C (350 °F).

6 POUR PRÉPARER LA SAUCE : Faire fondre le beurre dans une grande casserole. Ajouter les champignons, l'ail, la muscade, le sel et le poivre. Bien mélanger et ajouter le jus de citron. Faire sauter 2 à 3 minutes sans laisser brunir. Ajouter la farine et faire cuire 30 secondes. Incorporer lentement le lait. Faire cuire, en remuant, jusqu'à l'obtention d'une sauce onctueuse.

7 POUR PRÉPARER LA GARNITURE À LA RICOTTA : Mélanger la ricotta, l'œuf, la moitié du persil et la plupart du parmesan dans un petit bol.

8 Beurrer un grand plat à gratin et en tapisser le fond et les côtés de quelques feuilles de lasagne, en les laissant retomber par-dessus le bord du plat, pour former l'enveloppe extérieure de la lasagne. Recouvrir d'un tiers du mélange à la ricotta, d'un tiers de la mozzarella et d'un tiers de la sauce aux champignons. Ajouter une seconde couche de pâtes, de la largeur du plat cette fois-ci, et continuer de superposer les ingrédients dans le même ordre, en finissant par la sauce aux champignons. Parsemer du reste du persil et du parmesan. Replier les bandes de lasagne qui dépassent et, si nécessaire, les tailler pour obtenir une bordure de 2 à 3 cm (¾ à 1¼ po) de large.

9 Couvrir le plat, sans serrer, d'une feuille de papier d'aluminium. Faire cuire environ 40 minutes au four. Laisser reposer 10 minutes avant de servir.

8 PORTIONS

≈ **LASAGNE AUX CHAMPIGNONS ET AUX ÉPINARDS**

Cette lasagne étonnamment légère constitue un excellent repas léger. Elle peut être préparée à l'avance et prend beaucoup moins de temps que les autres recettes de lasagne en général, surtout si vous achetez des pâtes fraîches aux épinards. Il est aussi possible d'utiliser des pâtes ordinaires, mais le mélange subtil des saveurs et l'attrait visuel du plat en seront amoindris.

Une sauce aux tomates
accompagne parfaitement
ce gâteau. Pour varier,
incorporez des légumes
sautés, du salami ou
du jambon. Ce plat se
conserve bien et peut
être servi froid.

Les palourdes en conserve
conviennent très bien pour
cette recette. La sauce
sera tout aussi savoureuse
si vous omettez les cham-
pignons. Vous pouvez
remplacer les palourdes
par des coques ou par des
bigorneaux.

GÂTEAU AU MACARONI, AU FROMAGE ET AUX ŒUFS

450 g (1 lb) de macaroni en coudes ou ziti

SAUCE AU FROMAGE
30 ml (2 c. à s.) de beurre
30 ml (2 c. à s.) de farine
625 ml (2½ tasses) de lait
sel, poivre blanc et muscade
375 ml (1½ tasse) de cheddar, râpé
30 ml (2 c. à s.) de parmesan râpé
5 ml (1 c. à t.) d'oignon râpé
10 ml (2 c. à t.) de moutarde forte
7,5 ml (1½ c. à t.) de persil haché

CROÛTE
80 ml (⅓ tasse) de parmesan râpé
80 ml (⅓ tasse) de chapelure
1 œuf, battu
225 g (½ lb) de mozzarella, râpée
3 œufs durs, tranchés

1 Faire cuire les pâtes dans de l'eau bouillante salée jusqu'à ce qu'elles soient *al dente*. Égoutter et mouiller d'un peu d'huile végétale pour les empêcher de coller.
2 POUR PRÉPARER LA SAUCE AU FROMAGE : Faire fondre le beurre dans une petite casserole et y remuer la farine jusqu'à ce que le mélange soit onctueux. Incorporer graduellement le lait en remuant, jusqu'à ce que la sauce commence à épaissir. Ajouter le sel, le poivre et la muscade au goût, le cheddar, le parmesan, l'oignon, la moutarde forte et le persil. Poursuivre la cuisson jusqu'à ce que la sauce soit épaisse et onctueuse. Mettre les pâtes et la sauce dans un bol et bien mélanger.
3 Préchauffer le four à 175 °C (350 °F).
4 POUR PRÉPARER LA CROÛTE : Incorporer le parmesan à la chapelure. Beurrer un plat à gratin rectangulaire et profond. Y parsemer un peu du mélange à la chapelure. Secouer pour bien enduire les côtés du plat et jeter le surplus. Ajouter l'œuf et incliner le plat pour en recouvrir le fond de chapelure. Jeter le surplus et y parsemer une autre couche du mélange à la chapelure.
5 Étaler un tiers des pâtes dans le fond du plat et recouvrir d'un tiers de la mozzarella. Y déposer la moitié des œufs durs, en une seule couche. Répéter cette opération. Étaler le reste des pâtes et parsemer de mozzarella.

6 Faire cuire au four 20 à 30 minutes. Laisser refroidir le gâteau 15 minutes. Faire glisser la lame d'un couteau le long du plat avant de le démouler. Retourner délicatement le gâteau sur un plat de service chaud. Trancher pour servir.

6 À 8 PORTIONS

LINGUINE EN SAUCE BLANCHE AUX PALOURDES

300 g (10 oz) de palourdes, en conserve
250 ml (1 tasse) de lait
45 ml (3 c. à s.) d'huile d'olive
30 ml (2 c. à s.) de beurre
1 gousse d'ail, écrasée
1 petit oignon, haché fin
310 ml (1¼ tasse) de champignons, tranchés
125 ml (½ tasse) de vin blanc sec
15 ml (1 c. à s.) de persil haché fin
10 ml (2 c. à t.) de basilic haché fin
5 ml (1 c. à t.) d'origan frais haché fin ou 1 ml (¼ c. à t.) d'origan séché
sel et poivre blanc
450 g (1 lb) de linguine fraîches ou 300 g (⅔ lb) de pâtes sèches
4 brins de basilic

1 Égoutter légèrement les palourdes et les faire tremper de 1 heure à 1½ heure dans le lait. Égoutter de nouveau en réservant 125 ml (½ tasse) de liquide.
2 Faire chauffer l'huile et le beurre dans une grande casserole. Y faire suer l'ail et l'oignon. Ajouter les champignons et les faire sauter rapidement. Y verser le vin et le faire réduire légèrement à feu moyen. Ajouter les aromates, les palourdes et le liquide réservé. Bien assaisonner et faire cuire jusqu'à ce que la sauce épaississe un peu.
3 Faire cuire les pâtes dans de l'eau bouillante salée jusqu'à ce qu'elles soient *al dente*. Les égoutter et les mettre dans un plat de service chaud. Arroser de sauce et garnir de brins de basilic.

4 PORTIONS

GNOCCHIS À LA CITROUILLE

900 g (2 lb) de citrouille, avec l'écorce
80 ml (⅓ tasse) de semoule de blé dur
80 à 160 ml (⅓ à ⅔ tasse) de fécule de
pomme de terre
sel, poivre blanc et muscade râpée
110 g (¼ lb) de beurre doux
parmesan fraîchement râpé

1 Préchauffer le four à 175 °C (350 °F).
2 Couper la citrouille en morceaux. Les mettre dans un plat à gratin peu profond, l'écorce vers le haut. Ajouter 60 ml (¼ tasse) d'eau et faire cuire au four jusqu'à ce qu'ils soient tendres.
3 Retirer du four et laisser refroidir. Peler et enlever toute surface noircie. Écraser la pulpe ou la passer au moulin à légumes pour en obtenir environ 500 ml (2 tasses). (Ne pas utiliser de robot culinaire, car la purée obtenue sera trop liquide.)
4 Mettre la purée dans un grand bol, assaisonner et y incorporer autant de semoule et de fécule de pomme de terre nécessaires pour obtenir une pâte maniable et lisse. Ajouter le sel, le poivre et la muscade. Pétrir légèrement jusqu'à ce que la pâte devienne élastique. Laisser reposer 10 minutes.
5 Prendre des petits morceaux de pâtes d'environ 2 cm (¾ po) de long et les rouler rapidement du bout des doigts, pour obtenir une pâte plus lisse. Les presser ensuite avec le pouce contre le dos d'une fourchette pour obtenir la forme traditionnelle du gnocchi. Saupoudrer légèrement de fécule de pomme de terre. Laisser reposer 10 à 12 minutes.
6 Faire dorer le beurre dans une casserole, à feu moyen. Garder chaud.
7 Faire cuire les gnocchis, quelques-uns à la fois, dans de l'eau bouillante salée. Dès qu'ils remontent à la surface, les retirer à l'aide d'une écumoire et les mettre dans des assiettes creuses chaudes. Y verser le beurre et parsemer de parmesan. Servir aussitôt.

4 PORTIONS

≈ **GNOCCHIS**
À LA CITROUILLE

Choisissez une citrouille ferme et de couleur vive pour obtenir une texture et un goût plus agréables. Incorporez la citrouille délicatement mais rapidement à la pâte pour éviter que celle-ci ne devienne trop dure. Pour gagner du temps, faites bouillir la citrouille au lieu de la faire cuire au four. Sa saveur ne sera cependant pas aussi riche et sa texture, pas aussi ferme.

Préparation des gnocchis au potiron avec un beurre noisette et du parmesan.

CROUSTILLES AUX ÉPINARDS

450 g (1 lb) d'épinards surgelés, dégelés et asséchés

410 ml (1⅔ tasse) de semoule de blé dur

2 œufs

5 ml (1 c. à t.) d'huile végétale

15 ml (1 c. à s.) de sel

60 ml (¼ tasse) de parmesan râpé

5 ml (1 c. à t.) de poivre noir fraîchement moulu

5 ml (1 c. à t.) d'origan séché

5 ml (1 c. à t.) de sel d'oignon

5 ml (1 c. à t.) de sel d'ail

huile végétale, pour grande friture

1 À l'aide d'un robot culinaire, incorporer tous les ingrédients, sauf l'huile à friture. Bien mélanger jusqu'à l'obtention d'une boule lisse. Pour mélanger à la main, hacher d'abord finement les épinards.

2 Pétrir la pâte (en incorporant un peu de farine, si nécessaire, pour obtenir une consistance sèche, mais maniable), jusqu'à ce qu'elle soit lisse et élastique, environ 6 minutes. Couvrir d'un linge humide ou d'une pellicule plastique et laisser reposer 30 minutes.

3 Diviser la pâte en quatre. Abaisser chaque portion en une feuille mince à l'aide d'un rouleau à pâtisserie ou d'un laminoir. Saupoudrer légèrement chaque feuille de farine et laisser reposer 15 minutes. À l'aide d'un couteau tranchant ou d'une roulette à pâte, tailler les feuilles en rectangles d'environ 5 cm sur 2 cm.

4 Faire chauffer l'huile à 185 °C (365 °F). Y jeter 1 ou 2 croustilles pour vérifier la température, puis faire cuire rapidement les croustilles, quelques-unes à la fois. La cuisson devrait prendre de 5 à 10 secondes en grande friture ou de 5 à 8 secondes de chaque côté en petite friture. Retirer à l'aide d'une écumoire et égoutter sur du papier absorbant. Laisser refroidir.

QUANTITÉ : ENVIRON 100 CROUSTILLES.

Croustilles aux épinards

PÂTES AU VIN À LA RICOTTA ET AU SALAMI

PÂTES

625 ml (2½ tasses) de farine
1 grosse pincée de sel
1 grosse pincée de sucre semoule
1 œuf, battu
125 ml (½ tasse) de vin blanc sec,
ou plus si nécessaire

FARCE

250 ml (1 tasse) de ricotta
1 œuf
110 g (¼ lb) de mozzarella fumée,
en petits dés
75 g (2½ oz) de salami maigre, en petits dés
15 ml (1 c. à s.) de parmesan râpé
1 ml (¼ c. à t.) de poivre noir
fraîchement moulu
45 ml (3 c. à s.) de chapelure
15 ml (1 c. à s.) de menthe hachée fin
œuf battu
huile végétale, pour grande friture

1 POUR PRÉPARER LES PÂTES : Mélanger la farine, le sel et le sucre sur une surface de travail et creuser un puits au centre du mélange. Ajouter l'œuf et le vin. Incorporer les ingrédients secs à la fourchette pour obtenir une pâte grossière. Pétrir ensuite à la main pendant au moins 6 minutes, en ajoutant de la farine ou du vin pour obtenir une pâte lisse et élastique. Couvrir d'un linge humide ou d'une pellicule plastique et laisser reposer 30 minutes. Diviser la pâte en trois et abaisser chaque portion en une feuille très mince. Couvrir et laisser reposer 15 minutes avant de découper.

2 POUR PRÉPARER LA FARCE : Bien mélanger tous les ingrédients de la farce dans un bol.

3 Découper la pâte en cercles de 10 à 12 cm (4 à 5 po) de diamètre. Badigeonner le bord de chaque cercle de pâte d'œuf battu et déposer au centre de chacun d'eux 10 ml (2 c. à t.) de farce. Les replier en demi-lune et sceller. Tailler les bords à l'aide d'une roulette dentelée. Réserver, en une seule couche, jusqu'au moment de la cuisson.

4 Faire chauffer l'huile végétale dans une friteuse, jusqu'à ce qu'elle soit légèrement voilée. Y faire frire les pâtes, 2 ou 3 à la fois, jusqu'à ce qu'elles soient dorées et croustillantes des deux côtés. Les retirer à l'aide d'une écumoire et les égoutter sur du papier absorbant avant de servir.

3 À 4 PORTIONS

LASAGNE AU JAMBON ET AUX CHAMPIGNONS

45 ml (3 c. à s.) d'huile d'olive
1 petit oignon, haché fin
810 ml (3¼ tasses) de champignons,
tranchés
825 ml (3⅓ tasses) de tomates italiennes
pelées en conserve, égouttées et hachées fin
60 ml (¼ tasse) de persil haché
vin blanc sec
sel et poivre noir fraîchement moulu
450 g (1 lb) de lasagne fraîches
ou 300 g (⅔ lb) de pâtes sèches
chapelure fraîche, grillée
340 g (12 oz) de jambon cuit, en lanières
225 g (8 oz) de mozzarella, râpée
2 œufs durs, émincés

1 Faire chauffer l'huile dans une grande poêle. Y faire suer l'oignon. Ajouter les champignons et les faire sauter rapidement. Ajouter les tomates et le persil. Couvrir et faire cuire 40 minutes, en ajoutant un peu de vin si la sauce devient trop sèche. Assaisonner légèrement.

2 Faire cuire les lasagnes, quelques-unes à la fois, dans de l'eau bouillante salée jusqu'à ce qu'elles soient *al dente*. Les retirer de l'eau et les égoutter sur un linge.

3 Préchauffer le four à 190 °C (375 °F).

4 Beurrer un plat à gratin rectangulaire profond. Le saupoudrer de chapelure pour en couvrir le fond et les côtés. Jeter le surplus.

5 Tapisser le fond et les côtés du plat de quelques feuilles de lasagne, en les laissant retomber par-dessus le bord. Étaler un tiers de la sauce, couvrir d'une couche de jambon, d'un tiers de la mozzarella, puis de la moitié des œufs tranchés. Couvrir d'une couche de lasagnes et continuer de superposer les couches, en terminant par la mozzarella. Replier, sur le dessus, les morceaux de pâtes qui dépassent des côtés.

6 Faire cuire au four 30 minutes. Laisser reposer dans un endroit chaud 3 à 4 minutes avant de servir.

4 À 6 PORTIONS

≈ **LES PÂTES AU VIN**

Les pâtes préparées avec du vin blanc et une pincée de sucre ont un goût qui ressemble à celui des pâtes à base de levure. Vous pouvez omettre le sucre de cette recette et servir les pâtes avec une sauce.

≈ **LASAGNE AU JAMBON ET AUX CHAMPIGNONS**

Cette lasagne, dont la saveur est très relevée, peut être servie en entrée ou comme plat principal. Sans la sauce blanche, cette recette est moins riche et moins longue à préparer qu'une lasagne traditionnelle. Préparée 24 heures à l'avance, elle se conserve très bien au réfrigérateur.

LES PÂTES À TOUTE VITESSE

Les pâtes facilitent grandement notre quotidien. Elles sont simples à préparer et leur cuisson rapide permet d'en préserver toute leur valeur nutritive.

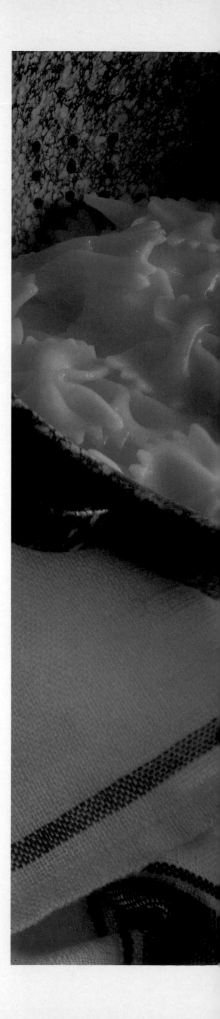

TAGLIARINI AUX TOMATES AVEC SAUCE AU FENOUIL

2 gros bulbes de fenouil
450 g (1 lb) de tagliarini frais aux tomates
60 ml (¼ tasse) de beurre
60 ml (¼ tasse) d'huile d'olive
1 gousse d'ail, écrasée
125 ml (½ tasse) de vin blanc sec
810 ml (3¼ tasses) de champignons,
tranchés
sel et poivre blanc
80 ml (⅓ tasse) de crème
10 ml (2 c. à t.) de persil haché fin
45 ml (3 c. à s.) de parmesan râpé
grossièrement
parmesan râpé

1 Tailler les bulbes de fenouil et les blanchir. Jeter les tiges extérieures coriaces et émincer les bulbes.
2 Faire cuire les pâtes dans de l'eau bouillante salée jusqu'à ce qu'elles soient *al dente* et les égoutter.
3 Faire chauffer le beurre et l'huile dans une poêle et y remuer l'ail. Ajouter le fenouil et le vin. Faire cuire 1 à 2 minutes. Ajouter les champignons. Saler, poivrer au goût. Y incorporer la crème et le persil et poursuivre la cuisson 30 secondes. Y remuer le parmesan.
4 Ajouter les pâtes à la sauce et bien mélanger. Accompagner de parmesan.

4 PORTIONS

FETTUCINE AU GORGONZOLA ET AUX PISTACHES

Pour réussir cette recette, vous devez travailler rapidement, une fois le gorgonzola incorporé, afin d'éviter qu'il ne se sépare.

**350 g (¾ lb) de fettucine fraîches
ou 225 g (½ lb) de pâtes sèches**
30 ml (2 c. à s.) de beurre
45 ml (3 c. à s.) d'huile
1 gousse d'ail
45 ml (3 c. à s.) de persil haché fin
60 g (2 oz) de pistaches, mondées
**110 g (¼ lb) de gorgonzola de lait
ou autre fromage bleu crémeux, émietté**
45 ml (3 c. à s.) de parmesan râpé

1 Faire cuire les pâtes dans de l'eau bouillante salée jusqu'à ce qu'elles soient *al dente* et les égoutter. Réserver 45 ml (3 c. à s.) du liquide de cuisson.

2 Faire chauffer le beurre et l'huile dans une poêle et y faire sauter l'ail. Y ajouter le persil et les pistaches. Faire cuire 2 minutes en remuant. Retirer la gousse d'ail. Ajouter le fromage et remuer jusqu'à ce qu'il soit fondu. Incorporer le liquide réservé à la sauce.

3 Incorporer la sauce et le parmesan aux pâtes. Servir avec du parmesan.

4 PORTIONS, EN HORS-D'ŒUVRE

TORTELLINI VERDI À LA RICOTTA ET AUX PISTACHES

**450 g (1 lb) de tortellini aux épinards
farcis à la ricotta**
125 ml (½ tasse) de ricotta
60 ml (¼ tasse) de parmesan râpé
45 ml (3 c. à s.) de crème
2 œufs
sel et poivre blanc
**12 pistaches, écalées,
hachées grossièrement**

1 Faire cuire les tortellini et les égoutter.

2 Mélanger, au robot culinaire, la ricotta, le parmesan et la crème, jusqu'à l'obtention d'une consistance onctueuse. Verser le mélange dans le haut d'un bain-marie rempli d'eau bouillante. Faire chauffer en remuant de temps à autre.

3 Battre les œufs avec un peu de sel et de poivre.

4 Incorporer rapidement les œufs battus et la sauce aux tortellini. Garnir de pistaches. Servir avec du parmesan.

6 PORTIONS, EN HORS-D'ŒUVRE

CONCHIGLIE À LA SAUCE AUX ÉPINARDS ET AUX AMANDES

**225 g (½ lb) de conchiglie fraîches ou
350 g (¾ lb) de pâtes fraîches**
225 g (⅓ lb) d'épinards cuits, égouttés
**15 ml (1 c. à s.) de basilic frais haché
ou 5 ml (1 c. à t.) de basilic séché**
**80 ml (⅓ tasse) de persil
haché grossièrement**
250 ml (1 tasse) de pecorino, râpé
125 ml (½ tasse) d'amandes, blanchies
2 gousses d'ail, hachées
60 ml (¼ tasse) de beurre, ramolli
**60 ml (¼ tasse) d'huile d'olive extra vierge
pecorino râpé**

1 Faire cuire les pâtes dans de l'eau bouillante salée jusqu'à ce qu'elles soient *al dente* et les égoutter. Réserver 75 ml (5 c. à s.) du liquide de cuisson.

2 À l'aide d'un robot culinaire, réduire en pâte tous les autres ingrédients. Ajouter le liquide réservé et mélanger.

3 Incorporer la sauce aux pâtes. Servir avec du pecorino pour un goût plus prononcé.

**4 PORTIONS, EN HORS-D'ŒUVRE
OU EN GOÛTER LÉGER**

≈ **LA SAUCE AUX ÉPINARDS ET AUX AMANDES**

Cette sauce est très polyvalente. Sa couleur est superbe et elle enrobe bien les pâtes. Vous pouvez y ajouter de la feta taillée en dés ou des morceaux de bacon croustillants. Servi en plus petites portions, ce plat accompagne bien le poisson grillé ou poché.

Ingrédients pour les fettucine au gorgonzola et aux pistaches

Les pâtes peuvent être cuites, conservées au réfrigérateur ou congelées, puis réchauffées rapidement. Pour les réfrigérer, il suffit de les enrober d'un peu d'huile légère et de les laisser refroidir tout en les remuant souvent pour les empêcher de coller. Les mettre dans un bol fermant hermétiquement avant de les réfrigérer ou de les congeler. Les laisser dégeler au réfrigérateur avant de les utiliser. Pour les réchauffer, y incorporer une sauce chaude ou les couvrir d'un linge humide avant de les placer dans un four préchauffé.

≋ **SPAGHETTINI AUX COURGETTES ET AUX NOIX**

Pour varier un peu cette recette, utilisez d'autres sortes de courgettes et remplacez les spaghettini par des spaghetti ou par des fettucine aux épinards.

COURGETTES AU SAFRAN

450 g (1 lb) de penne (plumes) ou d'oreillettes
45 ml (3 c. à s.) d'huile végétale
2 gousses d'ail, écrasées
600 g (1⅓ lb) de petites courgettes, en rondelles de 0,5 cm (¼ po) d'épaisseur
sel, poivre et muscade
160 ml (⅔ tasse) de crème
2,5 ml (½ c. à t.) de safran en poudre ou 1 ml (¼ c. à t.) de safran en filaments
parmesan râpé

1 Faire cuire les pâtes dans de l'eau bouillante salée jusqu'à ce qu'elles soient *al dente* et les égoutter.
2 Faire chauffer l'huile dans une grande poêle. Y faire sauter l'ail et les courgettes jusqu'à ce que ces dernières soient dorées, mais encore croquantes. Ajouter le sel, le poivre et la muscade au goût.
3 Entre-temps, porter à ébullition la crème et le safran. Laisser mijoter doucement jusqu'à ce que la crème épaississe légèrement et prenne une teinte ambrée.
4 Réserver quelques tranches de courgette pour décorer. Ajouter les pâtes à la poêle contenant les courgettes. Y incorporer la crème au safran. Remuer pour bien enrober.
5 Garnir des courgettes réservées. Servir avec du parmesan râpé.

4 PORTIONS, EN PLAT PRINCIPAL

SPAGHETTINI AUX COURGETTES ET AUX NOIX

450 g (1 lb) de spaghettini frais ou 300 g (⅔ lb) de pâtes sèches
60 ml (¼ tasse) d'huile d'olive
½ petit oignon, haché fin
1 gousse d'ail, écrasée
250 ml (1 tasse) de cerneaux de noix, hachés
4 petites courgettes, râpées
45 ml (3 c. à s.) de persil haché fin
10 ml (2 c. à t.) de basilic frais haché ou 2,5 ml (½ c. à t.) de basilic séché
sel et poivre noir fraîchement moulu
1 pincée de muscade
80 ml (⅓ tasse) de beurre
60 ml (¼ tasse) de parmesan fraîchement râpé

1 Faire cuire les pâtes dans de l'eau bouillante salée jusqu'à ce qu'elles soient *al dente* et les égoutter.
2 Faire chauffer l'huile dans une grande poêle. Y faire suer l'oignon et l'ail. Ajouter les noix et les faire sauter pour les colorer légèrement.
3 Ajouter les courgettes, le persil et le basilic. Faire cuire 20 secondes en remuant. Assaisonner de sel, de poivre et de muscade. Ajouter le beurre et faire chauffer jusqu'à ce que le beurre bouillonne.
4 Mélanger les pâtes à la sauce. Ajouter le parmesan et mélanger pour enrober. Servir.

4 PORTIONS, EN HORS-D'ŒUVRE

FETTUCINE À LA SAUCE À LA RICOTTA ET À L'ANETH

450 g (1 lb) de fettucine fraîches à la farine complète ou 300 g (⅔ lb) de pâtes sèches
1 gousse d'ail, écrasée
500 ml (2 tasses) de ricotta
375 ml (1½ tasse) de lait
7,5 ml (1½ c. à t.) de sel
1 pincée de poivre blanc et 1 de poivre de Cayenne
1 pincée de poudre de chili
½ poivron rouge, haché
45 ml (3 c. à s.) d'aneth frais, haché

1 Faire cuire les pâtes dans de l'eau bouillante salée jusqu'à ce qu'elles soient *al dente* et les égoutter. Réserver 15 à 30 ml (1 à 2 c. à s.) du liquide de cuisson.
2 Mélanger, au robot culinaire, l'ail, la ricotta, le lait, le sel, les poivres et le chili pour obtenir une sauce onctueuse. Transvider dans un bol et y incorporer le poivron et l'aneth.
3 Incorporer le liquide réservé à la sauce. Bien enrober les pâtes de sauce avant de servir.

4 PORTIONS

Sauce aux noix

VERMICELLE À LA SAUCE AUX NOIX

Ces pâtes se servent très bien avant un plat principal de poisson ou de volaille. La sauce riche et épaisse se conserve jusqu'à 4 jours au réfrigérateur. Vous pouvez aussi la déguster en trempette avec des crudités.

**350 g (¾ lb) de vermicelle frais
ou 225 g (½ lb) de pâtes sèches**
310 ml (1¼ tasse) de noix de Grenoble
**500 ml (2 tasses) de persil,
haché grossièrement**
**75 ml (5 c. à s.) de chapelure
fraîche ou sèche**
90 ml (6 c. à s.) de beurre, ramolli
125 ml (½ tasse) d'huile d'olive extra vierge
60 ml (¼ tasse) de crème
sel et poivre blanc

1 Faire cuire les pâtes dans de l'eau bouillante salée et les égoutter.
2 Mettre les noix, le persil et la chapelure dans le bol d'un robot ménager et les hacher fin. Y mélanger le beurre et l'huile pour obtenir une pâte épaisse.
3 Ajouter la crème et saler, poivrer au goût. Bien incorporer.
4 Mettre les pâtes dans un plat de service chaud. Y remuer la sauce et servir aussitôt. Ce plat ne s'accompagne habituellement pas de fromage.

4 PORTIONS, EN HORS-D'ŒUVRE

GNOCCHIS À LA SAUCE AU FONTINA

210 g (7 oz) de fontina, râpé ou haché fin
125 ml (½ tasse) de crème
80 ml (⅓ tasse) de beurre
60 ml (¼ tasse) de parmesan, râpé
450 g (1 lb) de gnocchis (boulettes)
feuilles de sauge

1 Mélanger le fontina, la crème, le beurre et le parmesan et faire chauffer le mélange au bain-marie. Remuer, de temps à autre, jusqu'à ce que les fromages aient fondu et que la sauce soit homogène et chaude.
2 Entre-temps, faire bouillir de l'eau pour les gnocchis. À mi-cuisson de la sauce, plonger les gnocchis dans l'eau bouillante. Lorsqu'ils sont cuits, les égoutter et les enrober d'un peu d'huile végétale.
3 Arroser les gnocchis de sauce. Garnir de sauge et servir.

4 PORTIONS

CASSEROLE DE PÂTES AUX COURGETTES ET AU GRUYÈRE

300 g (⅔ lb) de pâtes façonnées
(fusilli, oreillettes ou conchiglie)
60 ml (¼ tasse) d'huile d'olive
5 petites courgettes,
en rondelles de 1 cm (½ po) d'épaisseur
sel et poivre noir fraîchement moulu
410 ml (1⅔ tasse) de tomates italiennes
pelées en conserve, égouttées
et réduites en pulpe
8 à 10 olives noires,
dénoyautées et tranchées
45 ml (3 c. à s.) de parmesan
fraîchement râpé
5 ml (1 c. à t.) de romarin
225 g (½ lb) de mozzarella,
en dés de 1 cm (½ po)

1 Faire cuire les pâtes dans de l'eau bouillante salée.
2 Faire chauffer l'huile dans une grande poêle. Y faire dorer les courgettes, environ 5 minutes. Les saler, les poivrer, puis les mettre dans un plat à gratin peu profond huilé.
3 Préchauffer le four à 175 °C (350 °F).
4 Lorsque les pâtes sont presque cuites, les égoutter et les ajouter aux courgettes. Incorporer les tomates, les olives, le parmesan, le romarin et le tiers de la mozzarella. Saler, poivrer au goût et mélanger délicatement.
5 Recouvrir du reste de la mozzarella. Faire gratiner au four, environ 15 minutes.

4 PORTIONS

TAGLIARINI AUX TOMATES SÉCHÉES ET AUX POIS MANGE-TOUT

350 g (¾ lb) de tagliarini frais
ou 225 g (½ lb) de pâtes sèches
80 ml (½ tasse) d'huile d'olive extra vierge
3 ou 4 gousses d'ail, écrasées
15 ml (1 c. à s.) de menthe hachée fin
15 ml (1 c. à s.) de persil haché fin
12 à 15 pois mange-tout,
tranchés en biseau, en trois
10 à 12 tomates séchées, rincées,
égouttées et émincées
jus de ½ citron
sel et poivre noir fraîchement moulu

1 Faire cuire les pâtes dans de l'eau bouillante salée jusqu'à ce qu'elles soient *al dente* et les égoutter.
2 Faire chauffer l'huile. Y faire suer l'ail et les aromates de 1 à 2 minutes. Ajouter les pois mange-tout et mélanger 1 minute. Incorporer les tomates. Arroser du jus de citron. Saler, poivrer au goût.
3 Incorporer les pâtes aux légumes dans la poêle. Bien mélanger avant de servir.

4 PORTIONS

≈ **GNOCCHIS À LA SAUCE AU FONTINA**

La sauce fraîche se marie très bien au fontina. Seule la sauce fraîche vous donnera la saveur subtile de cette recette. S'il vous est impossible d'en trouver, ajoutez à la sauce, juste avant de servir, des poivrons rouges taillés en julienne ou de fines lanières de tomates séchées égouttées.

≈ **TAGLIARINI AUX TOMATES SÉCHÉES ET AUX POIS MANGE-TOUT**

Il n'existe aucun substitut aux tomates séchées. Si vous n'en avez pas, omettez tout simplement cet ingrédient.

Gnocchis à la sauce au fontina

SAUCE AU THON, AUX OLIVES ET AUX CÂPRES

420 g (14 oz) de thon à l'eau en conserve
45 ml (3 c. à s.) de beurre
45 ml (3 c. à s.) de farine
250 ml (1 tasse) de lait
sel et poivre blanc
10 ml (2 c. à t.) de persil haché
10 ml (2 c. à t.) de ciboulette hachée
jus de ½ citron
12 olives noires, dénoyautées et tranchées
10 ml (2 c. à t.) de petites câpres
4 à 5 gouttes de tabasco

1 Égoutter le thon et réserver l'eau. Faire fondre le beurre dans une grande casserole et y remuer la farine jusqu'à ce que le mélange soit doré et homogène. Incorporer le lait et la marinade. Remuer pour obtenir une sauce épaisse et onctueuse.
2 Saler et poivrer au goût. Ajouter le persil et la ciboulette. Bien y mélanger le jus de citron, les olives, les câpres et le tabasco. Défaire le thon en morceaux et l'incorporer à la sauce. Faire cuire pour réchauffer complètement.

4 PORTIONS

≈ **COMMENT ACHETER ET PRÉPARER LES PÉTONCLES**

Les pétoncles doivent être d'un blanc crémeux, fermés et sentir la mer. Ils se garderont jusqu'à trois jours au réfrigérateur, dans un bocal fermant hermétiquement.

TAGLIATELLE AUX PÉTONCLES ET AU SAUMON FUMÉ

45 ml (3 c. à s.) de beurre doux
1 gousse d'ail, écrasée
15 ml (1 c. à s.) d'oignon râpé
16 petits pétoncles, nettoyés, ayant trempé 30 minutes dans du lait
450 g (1 lb) de tagliatelle fraîches ou 300 g (⅔ lb) de pâtes sèches
160 ml (⅔ tasse) de vin blanc sec
10 ml (2 c. à t.) de persil haché fin
sel et poivre blanc
160 ml (⅔ tasse) de crème
120 g (4 oz) de saumon fumé, en julienne

1 Faire chauffer le beurre. Y faire suer l'ail et l'oignon de 1 à 2 minutes. Ajouter les pétoncles égouttés et les faire sauter rapidement jusqu'à ce qu'ils deviennent opaques.
2 Faire cuire les pâtes dans de l'eau bouillante salée jusqu'à ce qu'elles soient *al dente* et les égoutter.
3 Ajouter le vin et le persil aux pétoncles. Faire réduire de moitié, à feu vif. Saler, poivrer au goût et y remuer la crème. Baisser le feu et faire cuire jusqu'à ce que la crème épaississe légèrement.
4 Mettre les pâtes dans un plat de service chaud. Y verser la sauce, y ajouter le saumon fumé et mélanger rapidement avant de servir.

4 PORTIONS, EN HORS-D'ŒUVRE

SPIRALES AUX ÉPINARDS ET AUX ANCHOIS

350 g (¾ lb) de spirales fraîches ou 300 g (⅔ lb) de pâtes sèches
45 ml (3 c. à s.) de beurre
3 gousses d'ail, écrasées
8 filets d'anchois, hachés fin
500 ml (2 tasses) d'épinards, hachés, cuits et égouttés
825 g (3⅓ tasses) de tomates italiennes pelées en conserve, égouttées
80 ml (⅓ tasse) de pignons, grillés

1 Faire cuire les pâtes dans de l'eau bouillante salée jusqu'à ce qu'elles soient *al dente* et égoutter légèrement.
2 Faire fondre le beurre dans une grande poêle. Y faire suer l'ail 30 secondes. Ajouter les anchois et prolonger la cuisson 30 secondes. Y faire cuire les épinards jusqu'à ce que le mélange devienne assez sec.
3 Presser les tomates avec les mains, au-dessus d'un évier, pour en éliminer le jus. Incorporer la pulpe des tomates aux épinards.
4 Incorporer les pâtes et les pignons au mélange aux épinards. Bien remuer avant de servir. Il serait préférable de ne pas servir de fromage avec ce plat.

4 PORTIONS, EN HORS-D'ŒUVRE

TAGLIATELLE
AUX FRUITS DE MER

Cette recette est très facile et très rapide à préparer, surtout si vous utilisez des pâtes fraîches (de préférence, à base de semoule de blé dur) qui cuisent plus rapidement. Quel délicieux mélange de parfums!

80 ml (⅓ tasse) d'huile d'olive

2 gousses d'ail, écrasées

450 g (1 lb) de homard, en morceaux avec la carapace

450 g (1 lb) de crevettes, décortiquées, déveinées, avec la queue intacte

300 g (⅔ lb) de filet de poisson blanc, en morceaux

2 grosses tomates, pelées, épépinées et hachées

120 g (4 oz) de piments doux rôtis, hachés

5 ml (1 c. à t.) de paprika

2,5 ml (½ c. à t.) de safran en poudre

sel

1 L (4 tasses) de fumet de poisson léger

800 g (1¾ lb) de tagliatelle fraîches aux œufs

1 Faire chauffer l'huile dans une grande poêle à frire. Y faire sauter l'ail rapidement. Ajouter les fruits de mer et le poisson. Faire cuire, en remuant, afin de bien les enrober d'huile à l'ail.

2 Incorporer les tomates, les poivrons, le paprika, le safran et le sel au goût. Y remuer le fumet de poisson et porter à ébullition. Ajouter les pâtes, mélanger et laisser mijoter jusqu'à ce qu'elles soient *al dente*, 1 à 3 minutes. Augmenter le feu les 30 dernières secondes s'il reste du liquide.

3 Servir aussitôt que les pâtes sont cuites.

6 À 8 PORTIONS

Tagliatelle aux fruits de mer

≈ **POUR PARER LES CREVETTES**

Enlevez la tête et la carapace, tout en laissant la queue intacte. Utilisez un couteau à lame tranchante pour fendre le centre et le dos de la crevette, et retirez la veine.

TORTELLINI AUX SAUCISSES

450 g (1 lb) de tortellini à la viande
20 ml (1½ c. à s.) de beurre
½ poivron vert, tranché
3 saucisses épicées,
en morceaux de 2 cm (¾ po)
180 ml (¾ tasse) de ricotta
125 ml (½ tasse) de pecorino, râpé
sel et poivre noir fraîchement moulu

1 Faire cuire les pâtes dans de l'eau bouillante salée et les égoutter. Réserver 30 ml (2 c. à s.) de liquide de cuisson.
2 Faire fondre le beurre. Y faire sauter le poivron et les saucisses jusqu'à ce que ces dernières soient dorées et bien cuites. Garder au chaud.
3 Mélanger la ricotta, le pecorino, un peu de sel et une bonne quantité de poivre dans un bol. Juste avant de servir, y battre le liquide réservé.
4 Mettre les tortellini dans un plat de service chaud. Bien y incorporer les mélanges à la ricotta et aux saucisses et servir.

4 PORTIONS

PAPPARDELLE AU FOIE D'AGNEAU ET AU BACON

450 g (1 lb) de pappardelle fraîches
ou 300 g (⅔ lb) de pâtes sèches
45 ml (3 c. à s.) de beurre
1 gousse d'ail
1 petit oignon, émincé
110 g (¼ lb) de bacon, en courtes lanières
20 ml (1½ c. à t.) de sauge fraîche hachée
ou 2,5 ml (½ c. à t.) de sauge séchée
300 g (10 oz) de foie d'agneau,
nettoyé et en lanières
45 ml (3 c. à s.) de vermouth
15 ml (1 c. à s.) de concentré de tomates
ou le jus de tomate italiennes en conserve
sel et poivre noir fraîchement moulu

1 Faire cuire les pâtes dans de l'eau bouillante salée jusqu'à ce qu'elles soient *al dente* et les égoutter.
2 Faire fondre le beurre dans une grande poêle. Y faire suer la gousse d'ail et l'oignon.
3 Y faire cuire le bacon jusqu'à ce qu'il soit croustillant. Ajouter la sauge et le foie. Augmenter le feu légèrement. Faire sauter jusqu'à ce que le foie soit à peine doré.

4 Retirer l'ail. Ajouter le vermouth et le concentré de tomates. Faire réduire. Assaisonner au goût. Ajouter un peu de bouillon ou de concentré si le mélange se dessèche.
5 Incorporer les pâtes à la sauce avant de servir.

4 PORTIONS, EN HORS-D'ŒUVRE
OU EN REPAS LÉGER

LASAGNETTE AUX FOIES DE VOLAILLE

225 g (½ lb) de jeunes haricots verts, parés
450 g (1 lb) de lasagnette
30 ml (2 c. à s.) d'huile de noix
30 ml (2 c. à s.) de beurre
300 g (10 oz) de foies de volaille,
nettoyés et coupés en deux
310 ml (1¼ tasse) de champignons,
tranchés
5 ml (1 c. à t.) de vinaigre balsamique
ou 15 ml (1 c. à s.) de vinaigre de xérès
sel et poivre blanc
125 ml (½ tasse) de bouillon de volaille
15 ml (1 c. à s.) de persil plat haché
grossièrement
5 à 6 noix de Grenoble,
hachées grossièrement (facultatif)

1 Faire blanchir les haricots pendant 1 minute dans une grande casserole remplie d'eau bouillante. Les retirer à l'aide d'une écumoire, les rincer sous l'eau froide et les égoutter. Plonger les lasagnette dans la même eau bouillante et y ajouter 1 pincée de sel. Faire cuire jusqu'à ce que les pâtes soient *al dente*, puis égoutter.
2 Entre-temps, faire chauffer l'huile et le beurre dans une grande poêle et y faire sauter rapidement les foies de volaille jusqu'à ce qu'ils soient dorés à l'extérieur mais encore rosés et juteux à l'intérieur. Incorporer les champignons et arroser de vinaigre. Augmenter légèrement le feu et faire réduire le jus de cuisson.
3 Assaisonner au goût. Ajouter le bouillon et faire réduire de moitié. Y mélanger les haricots, les lasagnette et le persil. Servir dans des assiettes chaudes. Garnir de noix.

4 PORTIONS

≈ **POUR PRÉPARER**
LE FOIE

Le foie de veau peut remplacer le foie d'agneau, mais il faut le faire cuire au dernier moment, juste avant de servir. Le foie réchauffé devient sec et dur et son goût est plus prononcé.

SALADE DE GNOCCHIS À LA DINDE FUMÉE

110 g (¼ lb) de gnocchis secs (les pâtes)
30 ml (2 c. à s.) d'huile d'olive
225 g (8 oz) de dinde fumée, en morceaux de 3 à 4 cm (1¼ à 1½ po) de long
160 ml (⅔ tasse) de champignons, tranchés
15 ml (1 c. à s.) de ciboulette hachée
poivre noir fraîchement moulu
5 ml (1 c. à t.) de vinaigre balsamique
10 ml (2 c. à t.) d'huile d'olive extra vierge
2 petits avocats ou 1 gros, en quartiers et tranchés
110 g (¼ lb) de fromage fumé naturellement (p. ex. mozzarella fumée), en dés de 1 cm (½ po)

1 Faire cuire les pâtes dans de l'eau bouillante salée jusqu'à ce qu'elles soient *al dente*. Les égoutter et les passer sous l'eau froide. Égoutter de nouveau et réserver.

2 Faire chauffer l'huile d'olive dans une grande poêle. Ajouter la dinde, les champignons et la ciboulette. Faire cuire jusqu'à ce que la dinde soit légèrement dorée. Bien poivrer. Incorporer le vinaigre et l'huile d'olive extra vierge et remuer jusqu'à ce que le jus de cuisson réduise et épaississe. Assaisonner au goût. Bien y mélanger les pâtes et faire cuire 10 à 15 secondes.

3 Retirer du feu. Y remuer les tranches d'avocat et le fromage pour répartir la chaleur. Laisser reposer 2 à 3 minutes avant de servir, ou laisser refroidir complètement.

4 PORTIONS, EN HORS-D'ŒUVRE

*Salade de gnocchis
à la dinde fumée*

Fettucine aux tomates avec pétoncles

FETTUCINE AUX TOMATES AVEC PÉTONCLES

110 g (¼ lb) de beurre doux
3 gousses d'ail, écrasées
425 ml (1¾ tasse) de champignons, émincés
30 ml (2 c. à s.) de jus de citron
225 g (½ lb) de pétoncles frais
4 très petites courgettes,
en julienne de 3 cm (1¼ po) de long
30 ml (2 c. à s.) de persil haché fin
sel et poivre noir fraîchement moulu
1 pincée de poivre de Cayenne
450 g (1 lb) de fettucine frais aux tomates
30 ml (2 c. à s.) de persil haché

1 Faire fondre la moitié du beurre dans une grande poêle et y faire suer l'ail 1 minute.
2 Ajouter les champignons et le jus de citron. Bien mélanger. Ajouter les pétoncles, les courgettes et le persil haché fin. Couvrir et faire cuire 1 ou 2 minutes, à feu doux, en secouant fréquemment la poêle. Y faire fondre le reste du beurre. Assaisonner de sel, de poivre et de poivre de Cayenne.
3 Entre-temps, faire cuire les pâtes jusqu'à ce qu'elles soient al dente. Les égoutter et les mélanger à la sauce. Garnir de persil.

4 PORTIONS

PENNE AUX CREVETTES ET AU BACON

450 g (1 lb) de penne (plumes)
110 g (¼ lb) de bacon, en fines lanières
125 ml (½ tasse) de petits pois surgelés
150 g (5 oz) de crevettes moyennes fraîches, décortiquées
20 ml (1½ c. à s.) de beurre
125 ml (½ tasse) de ricotta
sel et poivre noir fraîchement moulu
15 ml (1 c. à s.) de parmesan râpé

1 Faire cuire les pâtes dans de l'eau bouillante salée jusqu'à ce qu'elles soient *al dente* et les égoutter. Réserver 30 ml (2 c. à s.) du liquide de cuisson.

2 Faire sauter le bacon dans une grande poêle jusqu'à ce que le gras fonde. Ajouter les petits pois et faire sauter 1 à 2 minutes. Y remuer les crevettes jusqu'à ce qu'elles deviennent roses. Baisser le feu et y faire fondre lentement le beurre.

3 Mélanger la ricotta, le sel, le poivre et le parmesan dans un plat de service. Y fouetter le liquide réservé. Incorporer les pâtes au mélange à la ricotta. Ajouter le bacon, les crevettes et les petits pois. Bien remuer avant de servir.

4 PORTIONS

LASAGNETTE AUX CHAMPIGNONS ET AU POULET

60 ml (¼ tasse) de lait
2,5 ml (½ c. à t.) d'estragon séché ou 10 ml (2 c. à t.) d'estragon frais haché
450 g (1 lb) de lasagnette
30 ml (2 c. à s.) de beurre
2 gousses d'ail
225 g (½ lb) de blanc de poulet, tranché
310 ml (1¼ tasse) de champignons, tranchés
7 ml (1½ c. à t.) de champignons porcini séchés, ayant trempé 30 minutes dans l'eau chaude, puis hachés (facultatif)
sel, poivre et muscade
500 ml (2 tasses) de crème
estragon

1 Porter le lait et l'estragon à ébullition dans une petite casserole. Retirer du feu et laisser macérer.

2 Faire cuire les lasagnette dans de l'eau bouillante salée jusqu'à ce qu'elles soient *al dente* et les égoutter.

3 Faire fondre le beurre dans une poêle. Y faire sauter l'ail, le poulet et les champignons jusqu'à ce que le poulet soit bien doré et complètement cuit. Jeter les gousses d'ail. Ajouter les champignons porcini et le liquide filtré du trempage (facultatif). Assaisonner de sel, de poivre et de muscade. Remuer environ 10 secondes. Y incorporer la crème et le lait à l'estragon et porter à ébullition. Laisser mijoter jusqu'à ce que la sauce épaississe.

4 Mettre les pâtes dans un plat de service chaud. Rectifier l'assaisonnement de la sauce et la verser sur les pâtes. Bien mélanger. Garnir d'estragon avant de servir.

4 PORTIONS

≈ **PENNE AUX CREVETTES ET AU BACON**

Cette recette peut sembler étonnante – du bacon avec des crustacés, du fromage avec des fruits de mer et des ingrédients chauds avec des ingrédients froids – mais quel délicieux résultat! Elle se prépare rapidement et, pour une fois, l'utilisation de petits pois surgelés est préférable à celle de petits pois frais, car leur texture se prête mieux à cette recette.

Lasagnette aux champignons et au poulet

LES SAUCES

On dit que le secret d'un plat réussi réside dans la sauce. Il n'y rien de plus vrai lorsqu'il s'agit de pâtes et ce n'est pas le choix qui manque. Certaines sauces accompagnent traditionnellement certaines pâtes, mais vous pouvez aussi innover en créant vos propres variantes.

PESTO DE GÊNES

Le pesto est traditionnellement servi avec des trenette, mais il se marie bien aux pâtes en rubans ou aux ravioli farcis au fromage. Vous pouvez l'utiliser dans les soupes, ou le parsemer sur les salades, les légumes cuits à la vapeur et les tomates au four. Pour obtenir un goût vraiment savoureux, préparez-le avec des jeunes pousses de basilic et une huile d'olive extra vierge. Pour une sauce plus piquante, remplacez le pecorino par du pepato, ou une partie du basilic par des jeunes feuilles d'épinards bien tendres.

1 pincée de sel (facultatif)
1 botte de basilic, haché grossièrement
2 gousses d'ail
80 ml (⅓ tasse) d'huile d'olive extra vierge
60 ml (¼ tasse) de pignons, légèrement grillés
125 ml (½ tasse) de parmesan, fraîchement râpé
125 ml (½ tasse) de pecorino, fraîchement râpé
2,5 ml (½ c. à t.) de chapelure grillée (si un robot culinaire est utilisé)

1 POUR PRÉPARER À LA MAIN : Mettre dans un mortier le sel, le basilic, l'ail, 15 ml (1 c. à s.) d'huile et quelques pignons et écraser à l'aide d'un pilon. Ajouter graduellement le reste des pignons et de l'huile jusqu'à l'obtention d'une texture homogène. Bien y mélanger les fromages.

2 POUR PRÉPARER AU ROBOT CULINAIRE : Mélanger le basilic, l'ail, la chapelure, les pignons et les fromages, tout en ajoutant graduellement l'huile d'olive, jusqu'à l'obtention d'une texture homogène.

4 PORTIONS

❧ LE PESTO

Le pesto se conserve bien de 5 à 6 jours au réfrigérateur si vous en couvrez la surface d'une mince couche d'huile d'olive. Vous pouvez le congeler en omettant les fromages et en ne les incorporant qu'au moment de l'utilisation. Par contre, les vrais amateurs de pesto soutiennent qu'il devrait être préparé juste avant l'utilisation, sinon le goût et la consistance ne sont pas les mêmes.

Ingrédients pour le Pesto de Gênes

≈ **SAUCE AUX QUATRE FROMAGES**

Cette sauce est très polyvalente. Vous pouvez la servir telle quelle avec les pâtes de votre choix, y incorporer du saumon fumé ou du prosciutto, ou encore la parsemer de caviar ou de sauge fraîche.

Sauce aux quatre fromages

SAUCE AUX QUATRE FROMAGES

20 ml (1½ c. à s.) de beurre
5 ml (1 c. à t.) de farine
180 ml (¾ tasse) de lait
180 ml (¾ tasse) de fontina, râpé
180 ml (¾ tasse) de provolone, râpé
180 ml (¾ tasse) de cheddar, râpé
180 ml (¾ tasse) de mozzarella, râpée
parmesan fraîchement râpé

1 Faire chauffer le beurre dans une casserole, jusqu'à ce qu'il commence à mousser. Y remuer la farine, faire cuire 30 secondes et incorporer le lait. Remuer, à feu doux, jusqu'à ce que le mélange soit épais et homogène. Retirer du feu. Y fouetter tous les fromages, sauf le parmesan.

2 Placer la casserole sur une autre casserole remplie d'eau bouillante. Faire chauffer jusqu'à ce que la sauce soit onctueuse, en remuant souvent. Ne pas faire bouillir après l'addition des fromages, car la sauce tournera. Servir sur des pâtes chaudes et accompagner de parmesan.

4 PORTIONS, EN HORS-D'ŒUVRE

SAUCE À L'OSEILLE ET AUX ÉPINARDS

225 g (½ lb) d'oseille
225 g (½ lb) d'épinards
sel
45 ml (3 c. à s) de beurre
30 ml (2 c. à s.) d'huile d'olive
15 ml (1 c. à s.) de persil haché fin
15 ml (1 c. à s.) de basilic haché fin
poivre noir fraîchement moulu
1 bonne pincée de muscade
80 ml (⅓ tasse) de crème

1 Rincer l'oseille et les épinards à l'eau froide et les secouer pour enlever le surplus d'eau. Les mettre dans une grande casserole avec 1 pincée de sel, sans ajouter d'eau. Couvrir et faire cuire doucement jusqu'à ce que les feuilles soient ramollies et tendres. Égoutter et hacher finement.

2 Faire chauffer le beurre et l'huile dans une grande poêle. Ajouter l'oseille, les épinards, les aromates, un peu de sel, beaucoup de poivre et la muscade. Faire cuire 5 minutes à feu doux. Incorporer la crème et laisser mijoter 5 minutes.

4 À 6 PORTIONS

SAUCE AU FROMAGE ET AUX NOIX

Voici une sauce bien enrobante qui peut être préparée à l'avance. Vous la réussirez à coup sûr en utilisant du basilic frais et des noix de Grenoble en écale. Vous pouvez la servir avec des pâtes, mais elle est aussi délicieuse avec des haricots verts.

125 ml (½ tasse) de noix de Grenoble, écalées
60 ml (¼ tasse) de pignons, grillés
5 ml (1 c. à t.) de chapelure fraîche, grillée
45 ml (3 c. à s.) de basilic haché
sel et poivre noir fraîchement moulu
1 gousse d'ail, écrasée
45 ml (3 c. à s.) d'huile d'olive
15 ml (1 c. à s.) de parmesan fraîchement râpé
125 ml (½ tasse) de ricotta

1 Au robot culinaire, mélanger les noix, les pignons, la chapelure, le basilic, le sel et le poivre, jusqu'à l'obtention d'une pâte grossière. Y incorporer l'ail et l'huile.

2 Transvider le mélange dans un autre bol et y remuer le parmesan et la ricotta jusqu'à ce que la sauce soit onctueuse. Rectifier l'assaisonnement. Pour un goût plus prononcé, ajouter un peu plus de parmesan.

3 Incorporer 15 ml (1 c. à s.) d'eau de cuisson des pâtes à la sauce pour la réchauffer et pour faciliter l'enrobage et servir sur des pâtes chaudes.

4 PORTIONS, EN HORS-D'ŒUVRE

PICCHI-PACCHI

80 ml (⅓ tasse) d'huile d'olive
1 gros oignon, émincé
1 gousse d'ail, écrasée
4 filets d'anchois, égouttés et ayant trempé 45 minutes dans du lait
410 ml (1⅔ tasse) de tomates italiennes en conserve, égouttées et hachées
1 tige de basilic
sel et poivre noir fraîchement moulu

1 Faire chauffer l'huile dans une grande poêle et y faire suer l'oignon et l'ail.

2 Ajouter les anchois égouttés et faire cuire 1 à 2 minutes, en les brisant à la cuiller tout en remuant.

3 Ajouter les tomates et le basilic. Assaisonner légèrement. Couvrir et laisser mijoter environ 20 minutes ou jusqu'à ce que la sauce devienne épaisse et onctueuse. Rectifier l'assaisonnement. Ne pas servir de fromage râpé avec cette sauce.

4 PORTIONS

SAUCE TOMATE AU FOUR

825 ml (3⅓ tasses) de tomates italiennes pelées en conserve, égouttées et écrasées
2 gousses d'ail, écrasées
1 oignon, haché fin
10 ml (2 c. à t.) de basilic frais haché ou 5 ml (1 c. à t.) de basilic séché
60 ml (¼ tasse) d'huile d'olive
piments chili séchés broyés
80 ml (⅓ tasse) de chapelure fraîche mélangée à 80 ml (⅓ tasse) de parmesan râpé

1 Préchauffer le four à 200 °C (400 °F).

2 Mettre les tomates, l'ail, l'oignon, le basilic et l'huile dans un plat à gratin. Parsemer d'une pincée de piments broyés. Bien incorporer. Saupoudrer du mélange à la chapelure. Faire cuire 30 minutes au four, sans couvrir.

3 Ne briser la croûte qu'au moment d'incorporer la sauce aux pâtes. On devrait retrouver de gros morceaux croustillants dans la sauce.

4 PORTIONS

≈ **PICCHI-PACCHI**

Le Picchi-Pacchi est une sauce riche, au goût relevé, qui peut être servie sur les pâtes de votre choix, mais puisque cette recette est sicilienne, on la sert surtout avec les spaghetti. Pour varier, vous pouvez y ajouter, 5 minutes avant la fin de la cuisson, des aubergines frites ou des olives noires.

≈ **SAUCE TOMATE AU FOUR**

Cette sauce a une saveur toute particulière qui ne peut être obtenue qu'en la préparant au four. Pour varier, vous pouvez y ajouter des olives, du salami, des légumes sautés ou des crevettes. Elle accompagnera très bien les pâtes de votre choix.

≈ **PESTO ROUGE**

Le pesto rouge est une sauce enrobante à saveur très prononcée. Servie sur des pâtes façonnées ou en rubans, elle donne une entrée à saveur piquante qui précède bien un plat de thon grillé ou cuit au four. Cette sauce se conserve jusqu'à 4 jours au réfrigérateur.

SAUCE CRÉMEUSE AUX POIREAUX ET AU GRUYÈRE

15 ml (1 c. à s.) de beurre doux
1 gousse d'ail
1 gros poireau, le blanc seulement, émincé
30 ml (2 c. à s.) de farine
sel, poivre blanc et muscade
180 ml (¾ tasse) de lait
500 ml (2 tasses) de crème
250 ml (1 tasse) de gruyère, râpé

1 Faire fondre le beurre dans une casserole. Ajouter l'ail et le blanc de poireau. Faire dorer à feu doux, en remuant souvent, environ 8 minutes.

2 Incorporer la farine. Assaisonner de sel, de poivre et de muscade. Faire cuire jusqu'à ce que la farine change légèrement de couleur.

3 Retirer la gousse d'ail. Incorporer graduellement le lait, en remuant sans cesse. Lorsque la sauce est onctueuse et épaisse, ajouter la crème. Porter à ébullition, baisser le feu et faire mijoter 5 minutes.

4 Y remuer le gruyère jusqu'à ce qu'il soit fondu. Retirer du feu et laisser refroidir légèrement avant de servir. Cette sauce se conserve jusqu'à 4 jours au réfrigérateur.

4 PORTIONS

PESTO ROUGE

15 g (½ oz) de filets d'anchois, ayant trempé 45 minutes dans du lait
1 grosse pincée de sel
1 gousse d'ail, écrasée
80 ml (⅓ tasse) de pignons, grillés
30 ml (2 c. à s.) de chapelure
290 g (6½ onces) de piments doux rôtis en conserve, égouttés et hachés grossièrement
125 ml (½ tasse) de tomates, égouttées et épépinées
10 ml (2 c. à t.) de câpres
5 ml (1 c. à t.) d'origan séché
15 ml (1 c. à s.) de persil haché
45 à 60 ml (3 à 4 c. à s.) de vinaigre de vin rouge
125 ml (½ tasse) d'huile d'olive

1 Mélanger, au robot culinaire, les anchois égouttés, le sel, l'ail, les pignons et la chapelure. Y incorporer les poivrons et les tomates jusqu'à l'obtention d'une pâte rouge.

2 Y mélanger les câpres, l'origan et le persil. Ajouter le vinaigre. Incorporer graduellement l'huile jusqu'à ce que la sauce soit homogène.

3 Ajouter 5 ml (1 c. à t.) d'eau de cuisson des pâtes à la sauce, en enrober des pâtes chaudes et servir.

4 PORTIONS

SPAGHETTI À LA PUTTANESCA

60 ml (¼ tasse) d'huile d'olive
2 gousses d'ail, écrasées
1 pincée de piments chili séchés broyés
6 filets d'anchois, égouttés, ayant trempé 30 minutes dans du lait
410 ml (1⅔ tasse) de tomates italiennes en conserve
160 ml (⅔ tasse) d'olives noires, tranchées
15 ml (1 c. à s.) de câpres
1 brin d'origan frais ou 1 ml (¼ c. à t.) d'origan séché
450 g (1 lb) de spaghetti frais ou 300 g (⅔ lb) de pâtes sèches
10 ml (2 c. à t.) de persil haché

1 Faire chauffer l'huile dans une grande poêle. Y faire suer l'ail et les piments broyés. Égoutter les anchois, les ajouter à la poêle et les écraser, tout en remuant.

2 Presser les tomates, une à une, au-dessus de l'évier pour les épépiner et les égoutter un peu avant de les incorporer à la sauce. Réserver le jus des tomates en conserve pour mouiller la sauce durant la cuisson. Ajouter les olives, les câpres et l'origan. Faire cuire 10 minutes à feu moyen.

3 Faire cuire les pâtes dans de l'eau bouillante salée jusqu'à ce qu'elles soient *al dente*. Égoutter et transvider dans un plat de service chaud. Y verser la sauce et y mélanger le persil.

4 PORTIONS

SAUCE MARINARA

La sauce marinara est faite à base de tomates et d'ail réduits en un riche mélange. Vous pouvez aussi y ajouter des artichauts, des olives ou, bien sûr, des fruits de mer.

60 ml (¼ tasse) d'huile d'olive
2 gousses d'ail, écrasées
1 petit oignon, haché
45 ml (3 c. à s.) de persil haché ou un mélange de persil et de basilic, haché
6 grosses tomates, pelées, épépinées et hachées, ou 825 ml (3⅓ tasses) de tomates italiennes pelées en conserve, égouttées et en purée
1 pincée de sucre
sel et poivre noir fraîchement moulu

1 Faire chauffer l'huile dans une grande casserole. Y faire suer l'ail et l'oignon environ 10 minutes.

2 Ajouter les aromates, les tomates, le sucre, le sel et le poivre. Laisser mijoter, en remuant de temps à autre, jusqu'à ce que la sauce soit épaisse et onctueuse, environ 30 minutes.

4 PORTIONS

MAYONNAISE AUX PISTACHES

3 jaunes d'œufs
250 ml (1 tasse) d'huile d'olive extra vierge
jus de ½ citron
sel et poivre noir fraîchement moulu
15 ml (1 c. à s.) de basilic haché fin
45 ml (3 c. à s.) de persil haché fin
45 ml (3 c. à s.) de pistaches broyées

1 Fouetter les jaunes d'œufs dans un bol. Continuer à fouetter en y incorporant l'huile en un mince filet, jusqu'à ce qu'elle soit complètement absorbée. En remuant toujours, ajouter le jus de citron, le sel et le poivre au goût. Y mélanger le basilic, le persil et les pistaches pour obtenir une sauce onctueuse, très épaisse.

2 Si la mayonnaise semble se séparer, fouetter de nouveau un jaune d'œuf dans un autre bol et y incorporer graduellement la mayonnaise. Elle se conservera, couverte et réfrigérée, jusqu'à 24 heures.

4 À 6 PORTIONS

Mayonnaise aux pistaches

≈ MAYONNAISE AUX PISTACHES

Cette mayonnaise est délicieuse servie sur des fettucine aux fines herbes fraîches ou incorporée à des crustacés froids et à des petits pois sucrés dans une salade de pâtes. Pour ne pas la rater, il vaut mieux la préparer à la main plutôt qu'au robot culinaire.

*Vous pouvez facilement
faire réchauffer des pâtes
en les mélangeant
directement à la sauce
chaude dans la poêle.*

BUCATINI ALL'AMATRICIANA

*Le goût exquis de cette sauce amatricienne repose
sur la saveur légère des tomates et la texture croustillante
du bacon. À l'origine, elle était préparée avec très peu de chili.
De nos jours, une sauce plus piquante est appréciée.
Pour varier, ajoutez 15 à 30 ml (1 ou 2 c. à s.)
de persil haché et un peu d'ail. Tous deux se marient
très bien aux ingrédients de base.*

**450 g (1 lb) de bucatini
30 ml (2 c. à s.) d'huile d'olive
1 petit oignon, haché fin
1 morceau de piment chili ou des piments
séchés broyés au goût
625 ml (1½ tasse) de tomates italiennes
pelées en conserve, égouttées et hachées
110 g (¼ lb) d'épaisses tranches
de pancetta ou de bacon, en morceaux
45 ml (3 c. à s.) de parmesan
fraîchement râpé**

1 Faire cuire les pâtes dans de l'eau bouillante salée jusqu'à ce qu'elles soient *al dente*
et les égoutter.
2 Faire chauffer la moitié de l'huile dans
une poêle. Y faire suer l'oignon et le chili.
Ajouter les tomates et laisser mijoter
environ 7 minutes, sans laisser épaissir.
3 Entre-temps, faire frire la pancetta dans
le reste d'huile jusqu'à ce qu'elle soit croustillante. Garder chaud.
4 Mettre les pâtes dans un plat de service
chaud. Y mélanger le parmesan, la sauce et,
en dernier, la pancetta.

4 PORTIONS

≈ Fettucine à la
sauce aux œufs,
aux petits pois
et au jambon

*Vous pouvez agrémenter
cette recette en faisant
frire des champignons
avec les poireaux.*

FETTUCINE À LA SAUCE
AUX ŒUFS, AUX PETITS
POIS ET AU JAMBON

**500 ml (2 tasses) de petits pois
frais ou surgelés
250 ml (1 tasse) de bouillon de volaille
110 g (¼ tasse) de beurre doux
2 blancs de poireaux, émincés
110 g (¼ lb) de jambon tranché, en julienne
450 g (1 lb) de fettucine fraîches
ou 350 g (¾ lb) de pâtes sèches
2 œufs moyens
180 ml (¾ tasse) de parmesan,
fraîchement râpé
sel et poivre noir fraîchement moulu**

1 Faire cuire les petits pois dans le bouillon
de volaille jusqu'à ce qu'ils soient tendres.
Réserver 30 ml (2 c. à s.) du liquide de
cuisson.
2 Faire fondre le beurre et y faire suer les
poireaux jusqu'à ce qu'ils soient dorés. Y
mélanger les petits pois, le liquide réservé
et le jambon. Couvrir et garder chaud.
3 Faire cuire les pâtes dans de l'eau bouillante salée jusqu'à ce qu'elles soient *al dente*
et les égoutter légèrement. Entre-temps,
battre les œufs avec la moitié du parmesan.
Saler, poivrer. Verser dans un grand plat de
service et garder chaud.
4 Incorporer les pâtes au mélange aux
œufs. Y remuer rapidement la sauce au
jambon. Servir avec le reste du parmesan
et du poivre.

4 PORTIONS, EN REPAS LÉGER

SPAGHETTINI CRÉMEUX
AU CITRON ET AU JAMBON

**300 g (⅔ lb) de spaghettini frais
ou 450 (1 lb) de pâtes sèches
180 ml (¾ tasse) de beurre doux
150 g (5 oz) de tranches de jambon
d'Ardennes, en fines lanières
250 ml (1 tasse) de crème
15 ml (1 c. à s.) de persil haché
zeste râpé de 1 citron
sel et poivre noir fraîchement moulu
45 ml (3 c. à s.) de parmesan râpé
parmesan**

1 Faire cuire les pâtes dans de l'eau bouillante salée jusqu'à ce qu'elles soient *al dente*
et les égoutter.
2 Faire fondre le beurre dans une poêle
profonde. Ajouter le jambon et faire cuire
30 secondes. Incorporer la crème, le persil
et le zeste. Saler, poivrer et prolonger la
cuisson de 1 à 2 minutes, jusqu'à ce que
le mélange soit riche et onctueux.
3 Ajouter les pâtes et le parmesan à la
poêle. Mélanger rapidement pour bien
enrober et réchauffer complètement.
Servir avec du parmesan.

4 PORTIONS

Bucatini all'amatriciana

≈ **PAGLIA E FIENO AU BACON, AUX PETITS POIS ET AUX CHAMPIGNONS**

Si vous ne trouvez pas de champignons porcini séchés, remplacez-les par des cèpes ou par des bolets. Si vous réduisez la quantité de persil utilisée, réduisez aussi celle de la crème afin de garder un bon équilibre des ingrédients.

PAGLIA E FIENO AU BACON, AUX PETITS POIS ET AUX CHAMPIGNONS

310 ml (1¼ tasse) de petits pois frais, écossés, ou surgelés

225 g (½ lb) de fettucine fraîches ou 150 g (⅓ lb) de pâtes sèches

225 g (½ lb) de fettucine fraîches aux épinards ou 150 g (⅓ lb) de pâtes sèches

225 g (½ lb) de bacon, en lanières

7 ml (1½ c. à t.) de champignons porcini séchés, ayant trempé dans 45 ml (3 c. à s.) d'eau tiède réservée (facultatif)

625 ml (2½ tasses) de champignons, tranchés

1 gousse d'ail, écrasée

5 ml (1 c. à t.) de poivre noir fraîchement moulu

1 botte de persil, haché fin

560 ml (2¼ tasses) de crème parmesan râpé

1 Faire cuire les petits pois dans une grande casserole remplie d'eau bouillante salée jusqu'à ce qu'ils soient tendres. Les retirer à l'aide d'une écumoire et réserver l'eau de cuisson.

2 Faire frire le bacon jusqu'à ce qu'il soit croustillant.

3 Presser les champignons porcini au-dessus de la casserole. Les hacher fin et les ajouter à la casserole avec leur eau de trempage. Ajouter les champignons. Y incorporer l'ail et le poivre et faire cuire brièvement. Y mélanger le persil et faire cuire 30 secondes.

4 Y remuer la crème et faire cuire jusqu'à ébullition. Faire réduire et épaissir, environ 5 à 8 minutes.

5 Faire cuire les pâtes dans l'eau de cuisson des petits pois jusqu'à ce qu'elles soient *al dente*. Les égoutter et les transvider dans un plat de service chaud. Y mélanger la sauce et accompagner de parmesan fraîchement râpé.

4 PORTIONS

PENNE ALL'ARRABBIATA

15 ml (1 c. à s.) de champignons porcini
séchés (facultatif)

30 ml (2 c. à s.) d'huile d'olive

1 oignon, haché fin

2 gousses d'ail, écrasées

110 g (¼ lb) de pancetta ou de bacon
non fumé, en lanières

625 ml (1½ tasse) de tomates italiennes
pelées en conserve, égouttées et hachées

1 ml (¼ c. à t.) de piments chili
séchés broyés

450 g (1 lb) de penne (plumes)

80 ml (⅓ tasse) de pecorino, râpé

45 ml (3 c. à s.) de beurre,
en petits morceaux, réfrigéré

1 Faire tremper les champignons porcini
pendant 1 heure dans 15 ml (1 c. à s.) d'eau,
puis les couper en fines lanières (facultatif).
(Réserver le liquide pour une autre recette.)

2 Faire chauffer l'huile dans une grande
casserole. Y faire suer l'oignon et l'ail
5 minutes. Ajouter la pancetta et faire
sauter 5 minutes.

3 Ajouter les champignons, les tomates et
les piments broyés. Laisser mijoter à feu
moyen jusqu'à ce que le mélange soit épais
et riche, environ 20 à 30 minutes. Rectifier
l'assaisonnement et ajouter plus de piments,
si désiré. Si la sauce semble se dessécher,
y incorporer 15 à 30 ml (1 à 2 c. à s.) d'eau
de cuisson des pâtes.

4 Faire cuire les pâtes dans de l'eau bouillante salée jusqu'à ce qu'elles soient *al dente*
et les égoutter.

5 Au moment de servir, mélanger les pâtes
et le pecorino dans la sauce en remuant
pour réchauffer. Y incorporer rapidement
le beurre et servir.

4 PORTIONS

≈ POUR INCORPORER LA SAUCE AUX PÂTES

*La plupart des chefs italiens préfèrent incorporer la sauce
aux pâtes dès qu'elles sont cuites. Le plat reste ainsi chaud
et les saveurs sont également réparties; vous pouvez réserver
un peu de sauce pour garnir, si vous le désirez. Lorsque
vous utilisez une sauce froide avec des pâtes chaudes, le
pesto par exemple, mélangez-y 30 ml (2 c. à s.) du liquide
de cuisson des pâtes pour lui permettre un meilleur enrobage et pour le réchauffer.*

SAUCE BOLONAISE

60 ml (¼ tasse) de beurre

1 petit oignon, haché fin

1 branche de céleri, hachée fin

1 petite carotte, hachée fin

60 g (2 oz) de pancetta ou de bacon,
haché fin

1 feuille de laurier

300 g (10 oz) de bœuf maigre haché

7,5 ml (1½ c. à t.) de farine

125 ml (½ tasse) de vin rouge sec

15 ml (1 c. à s.) de champignons porcini
séchés, ayant trempé 1 heure dans un peu
d'eau tiède, puis hachés (facultatif)

sel et poivre noir fraîchement moulu

1 pincée de muscade ou de clou de girofle

125 ml (½ tasse) de bouillon
ou de consommé de bœuf

125 ml (½ tasse) de lait

45 ml (3 c. à s.) de crème

1 foie de volaille, haché fin

1 Faire chauffer le beurre dans une grande
casserole. Ajouter l'oignon, le céleri, la
carotte, la pancetta et la feuille de laurier.
Faire cuire 8 à 10 minutes à feu doux.

2 Ajouter le bœuf haché et faire rissoler
à feu moyen. Saupoudrer de farine, bien
mélanger et faire cuire 30 secondes. Incorporer le vin et remuer à feu vif, jusqu'à ce
qu'il se soit presque tout évaporé.

3 Ajouter les champignons porcini (facultatif) et leur eau de trempage. Rectifier
l'assaisonnement. Ajouter la muscade et la
moitié du bouillon. Couvrir et laisser mijoter à feu doux pendant 1½ heure.

4 Remuer de temps à autre en ajoutant,
au fur et à mesure, le reste du bouillon.
Ajouter le lait aux deux tiers de la cuisson
et rectifier l'assaisonnement. Au moment
de servir, incorporer la crème et le foie
de volaille. Faire cuire, sans couvrir, 1 à
2 minutes.

4 PORTIONS

≈ SAUCE BOLONAISE

*La vraie sauce bolonaise
ressemble très peu à celle
que l'on retrouve à l'extérieur de l'Italie; elle n'est
même pas servie sur des
spaghetti mais plutôt sur
des tagliatelle, une autre
création bolonaise. Tout
comme la ville, la sauce
est douce et sophistiquée.
Sa saveur provient de sa
longue cuisson à feu doux
et l'ajout de lait lui donne
son goût velouté et légèrement sucré. Cette recette ne
contient ni ail ni tomates.
Par contre, vous pouvez
y ajouter 30 ml (2 c. à s.)
de concentré de tomates
pour obtenir une sauce
plus riche et plus colorée.*

≈ LA CONSISTANCE D'UNE SAUCE

*La sauce servie sur les
pâtes doit être assez
épaisse pour bien les
enrober. Il est donc
préférable, lorsque c'est
possible, de la préparer
avec de la crème épaisse.
Pour simplifier les choses,
dans la plupart des
recettes, nous utilisons de
la crème légère, mais il
faut alors prolonger le
temps de cuisson. Si vous
décidez d'utiliser de la
crème épaisse, réduisez
légèrement le temps de
cuisson.*

LA BONNE CHÈRE

Les pâtes constituent un plat principal délicieux et copieux. Servez des pâtes longues (fettucine, tagliarini, spaghetti ou linguine) avec une sauce bien enrobante à base d'huile, de tomates, de crème ou de fromage fondant. Les pâtes façonnées ou creuses (fusilli, zitoni ou rotelli) sont meilleures avec des sauces plus épaisses. Les longues pâtes en filaments (vermicelle ou cheveux d'ange) sont exquises avec des sauces onctueuses à base de beurre et de fromage, de tomates crues ou d'œufs. Les pâtes plates, comme les pappardelle ou les lasagnette, se marient bien aux sauces à la viande qui sont plus relevées.

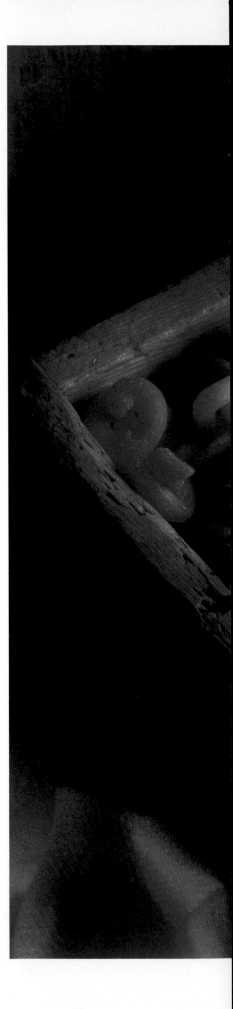

≈ DES PÂTES POUR PLUSIEURS

Si vous recevez plusieurs personnes, vous pouvez faire précuire les pâtes en plusieurs portions, les huiler légèrement, les couvrir d'un linge humide et les mettre au four pour les garder chaudes.

FARFALLE AU SAUMON FUMÉ ET AU FROMAGE MASCARPONE

300 g (⅔ lb) de farfalle (papillons)
2 blancs de poireaux, émincés
45 ml (3 c. à s.) de beurre
½ poivron rouge, en julienne
410 ml (1⅔ tasse) de fromage mascarpone ou de crème à fouetter
225 g (½ lb) de saumon fumé, en fines lanières
sel et poivre blanc
fanes de fenouil hachées (facultatif)

1 Faire cuire les pâtes dans de l'eau bouillante salée jusqu'à ce qu'elles soient *al dente* et les égoutter.
2 Faire suer les poireaux pendant quelques minutes dans le beurre fondu. Réserver un peu de poivron pour décorer, et ajouter le reste aux poireaux. Prolonger la cuisson de 30 secondes.
3 Ajouter le fromage et porter à ébullition. Réserver quelques lanières de saumon fumé et incorporer le reste du saumon au mélange aux légumes, pour le réchauffer complètement. Assaisonner au goût. Y mélanger les fanes de fenouil.
4 Incorporer les pâtes. Garnir du poivron et du saumon réservés.

4 PORTIONS

Soupe aux pâtes et aux haricots

SOUPE AUX PÂTES ET AUX HARICOTS

La combinaison « pâtes et haricots » se rencontre dans plusieurs régions d'Italie. À Venise, par exemple, les pâtes et les haricots seront assaisonnés d'une pincée de cannelle et mijoteront avec l'os d'un jambon de Parme. Une saveur subtile mais inoubliable qui, parfois, est rehaussée de parmesan.

225 g (½ lb) de haricots borlotti, ayant trempé dans l'eau toute la nuit
1 os de prosciutto ou de jambon
1 oignon, haché
1 pincée de cannelle
poivre de Cayenne
10 ml (2 c. à t.) d'huile d'olive
500 ml (2 tasses) de bouillon de volaille
110 g (¼ lb) de tagliatelle, ordinaires ou aux épinards, brisées en morceaux de 3 à 4 cm (1¼ à 1½ po) de long

1 Égoutter et rincer les haricots. Les mettre dans une casserole, les couvrir d'eau froide et porter à ébullition. Remuer et faire bouillir 15 minutes.

2 Égoutter les haricots et les transvider dans une grande casserole. Y ajouter l'os de jambon, l'oignon, la cannelle, 1 pincée de poivre de Cayenne, l'huile d'olive et le bouillon. Couvrir et laisser mijoter jusqu'à ce que les haricots soient cuits et qu'ils commencent à épaissir le bouillon. Enlever l'os du jambon, en détacher la viande, la déchiqueter et la remettre dans la casserole. Jeter l'os.

3 Rectifier l'assaisonnement et saler si nécessaire. Porter de nouveau à ébullition. Y mélanger les pâtes et faire cuire jusqu'à ce qu'elles soient *al dente*. Retirer la casserole du feu et laisser reposer 1 à 2 minutes avant de servir.

5 À 6 PORTIONS

PAPILLOTES DE CHAMPIGNONS ET DE RICOTTA AU FOUR

PÂTE
410 ml (1⅔ tasse) de farine tout usage
sel
2 œufs, plus 2 jaunes d'œufs,
battus ensemble
20 ml (1½ c. à s.) de beurre, fondu
310 ml (1¼ tasse) de lait
beurre fondu, en plus

FARCE
45 ml (3 c. à s.) de beurre
450 g (1 lb) de champignons, tranchés
1 ml (¼ c. à t.) de chacun des ingrédients
suivants : sel, poivre fraîchement moulu,
muscade
45 ml (3 c. à s.) de chapelure fraîche, grillée
60 ml (4 c. à s.) de persil haché fin
375 g (1½ tasse) de ricotta
125 ml (½ tasse) de mascarpone
15 ml (1 c. à s.) de parmesan râpé
1 œuf, plus 1 jaune d'œuf, battus ensemble

GARNITURE
125 ml (½ tasse) de parmesan, râpé
75 ml (¼ tasse plus 1 c. à s.)
de beurre, fondu

1 **POUR PRÉPARER LA PÂTE :** Tamiser la farine et 1 pincée de sel dans un bol. Bien y mélanger les œufs battus et le beurre. Incorporer graduellement le lait jusqu'à l'obtention d'une pâte épaisse. Continuer à battre environ 7 à 8 minutes pour obtenir une consistance lisse. Laisser reposer au moins 5 minutes.

2 Faire chauffer un peu du beurre dans une petite poêle et y ajouter suffisamment de pâte pour en couvrir le fond d'une mince couche. Faire dorer, à feu doux, des deux côtés, comme une crêpe. Retirer de la poêle. Recommencer avec le reste de la pâte, en ajoutant un peu de beurre dans la poêle chaque fois. On devrait obtenir 6 à 8 feuilles cuites, selon la dimension de la poêle. Les tailler en carrés et réserver.

3 **POUR PRÉPARER LA FARCE :** Faire chauffer le beurre dans une poêle à frire. Y faire dorer les champignons pour qu'ils soient encore croquants. Assaisonner de sel, de poivre et de muscade. Y remuer la chapelure et le persil. Transvider le mélange dans un bol. Bien y mélanger la ricotta, le mascarpone, le parmesan et les œufs.

4 Préchauffer le four à 200 °C (400 °F).

5 Répartir la farce entre les feuilles de pâte, en la disposant au centre de chacune d'elles. Replier les coins vers l'intérieur, comme pour une enveloppe, afin d'obtenir une papillote. Les ranger dans un plat à gratin beurré peu profond. Saupoudrer de parmesan et arroser de beurre fondu. Faire dorer au four environ 15 minutes.

4 PORTIONS

SOUPE AU POULET, AU POIREAU ET AUX POIS CHICHES

1 L (4 tasses) de bouillon de volaille
110 g (¼ lb) de petites pâtes façonnées
(ditali, conchigliette)
20 ml (1½ c. à s.) de beurre
1 blanc de poireau, tranché
1 gousse d'ail
125 ml (½ tasse) de pois chiches, grillés
15 ml (1 c. à s.) de farine
45 ml (3 c. à s.) de persil plat haché fin
sel et poivre noir fraîchement moulu
1 pincée de poivre de Cayenne
225 g (½ lb) de poulet cuit, haché

1 Verser le bouillon de volaille dans une casserole et porter à ébullition. Ajouter les pâtes et les faire à peine cuire. Les égoutter à l'aide d'une écumoire. Laisser frémir le bouillon sur le feu.

2 Entre-temps, faire fondre le beurre dans une grande casserole. Y faire suer le poireau et l'ail. Ajouter les pois chiches, mélanger 1 minute et saupoudrer de farine. Faire frire environ 10 secondes. Y incorporer graduellement le bouillon.

3 Ajouter le persil, le sel, beaucoup de poivre noir et le poivre de Cayenne. Ajouter les pâtes et le poulet cuit. Porter de nouveau à ébullition avant de servir.

4 PORTIONS

≈ **PAPILLOTES AU FOUR**

Cette façon d'apprêter les pâtes farcies est idéale pour les gens qui suivent une diète, car aucune sauce n'y est ajoutée. Prenez garde cependant de ne pas trop faire cuire les papillotes, afin d'éviter que les pâtes ne se dessèchent et ne durcissent. N'utilisez pas trop de beurre lorsque vous faites cuire les feuilles de pâtes.

≈ **SOUPE AU POULET, AU POIREAU ET AUX POIS CHICHES**

La saveur subtile de cette soupe peut être agrémentée par de la coriandre fraîche au lieu du persil. Vous pouvez aussi faire frire, avec le poireau, une pincée de piments chili séchés et broyés.

*Vous pouvez servir cette
pâte, sans la farce, en
hors-d'œuvre ou en repas
léger. Il suffit de la tailler
en carrés et de la servir
avec une sauce légère et
enrobante, telle que de la
mayonnaise aux pistaches
ou du pesto. La dimension
des carrés de pâte abaissée,
appelés quadrucci, peut
varier énormément. Ils
peuvent être très petits et
utilisés dans les soupes ou
plus grands, de 8 à 10 cm
(3¼ à 4 po) de côté, et
être servis avec une sauce.*

AGNOLOTTI
ÉPICÉS À LA RICOTTA,
PÂTE AUX FINES HERBES

PÂTES
**625 ml (2½ tasses) de farine tout usage
1 pincée de sel
3 œufs, battus légèrement
feuilles plates d'aromates
(persil commun, cerfeuil ou coriandre),
en réserver pour décorer
1 œuf, battu**

FARCE
**500 ml (2 tasses) de ricotta
45 ml (3 c. à s.) de parmesan râpé
1 pincée de muscade
1 pincée de poudre de chili
sel
environ 125 ml (½ tasse)
de chapelure fraîche**

POUR TERMINER
**125 ml (½ tasse) d'huile d'olive légère
4 gousses d'ail
parmesan fraîchement râpé
herbes fraîches**

1 POUR PRÉPARER LES PÂTES : Au robot
culinaire, mélanger la farine et le sel, 1 à
2 secondes. Y incorporer les œufs entiers
jusqu'à l'obtention d'une pâte lisse. Ajouter
un peu de farine ou d'eau, si nécessaire.
Couvrir la pâte d'un linge humide ou
d'une pellicule plastique et laisser reposer
30 minutes.

2 Diviser la pâte en quatre. Abaisser
chaque portion jusqu'au double de l'épaisseur de la pâte que vous désirez obtenir.
Il est possible d'utiliser un rouleau à pâtisserie, mais pour obtenir des agnolotti de
formes plus régulières, il est préférable
d'utiliser un laminoir. Ne pas fariner le
plan de travail avant l'étape suivante.

3 Choisir de belles tiges d'aromates.
Les séparer en petits bouquets d'environ
1 cm (½ po) chacun. Les disposer à 3 ou
4 cm (1¼ à 1½ po) d'intervalle sur la moitié
de chaque feuille de pâte. Replier l'autre
moitié de pâte par-dessus et abaisser pour
bien faire pénétrer les aromates dans la pâte.

4 Couvrir chaque feuille abaissée d'un
linge.

5 Avec un emporte-pièce de 8 à 10 cm
(3¼ à 4 po) de diamètre, découper des
cercles dans les feuilles de pâte, en les
couvrant d'un linge dès qu'ils sont prêts.

6 POUR PRÉPARER LA FARCE : Mélanger
les 5 premiers ingrédients. Y ajouter de la
chapelure jusqu'à l'obtention d'une texture
légère et maniable.

7 Étaler une demi-douzaine de cercles sur
une surface de travail. En badigeonner les
bords d'œuf et disposer un peu de farce au
centre de chacun d'eux. Replier la pâte afin
d'envelopper la farce. Sceller les bords à
l'aide d'une roulette dentelée. Réserver, sans
couvrir, jusqu'à ce qu'ils soient tous prêts.

8 POUR TERMINER : Faire chauffer l'huile
dans une grande poêle ou dans un wok.
Y faire suer l'ail à feu doux. Jeter l'ail et
garder l'huile chaude.

9 Faire cuire les agnolotti dans de l'eau
bouillante salée jusqu'à ce qu'ils soient
al dente. Les égoutter et les ajouter à l'huile
chaude dans la poêle. Mélanger pour bien
les enrober.

10 Parsemer d'un peu d'aromates frais et
de parmesan et servir aussitôt.

4 PORTIONS

TAGLIATELLE AUX COURGETTES ET AU BASILIC

600 g (1⅓ lb) de petites courgettes, en bâtonnets de 4 cm sur 1 cm (1½ sur ½ po)
75 ml (¼ tasse plus 1 c. à s.) de beurre doux
125 ml (½ tasse) d'huile végétale
15 ml (1 c. à s.) de farine tout usage
250 ml (1 tasse) de lait
450 g (1 lb) de tagliatelle fraîches ou 300 g (⅔ lb) de pâtes sèches
125 ml (½ tasse) de crème
125 ml (½ tasse) de basilic, haché fin

1 Mettre les courgettes dans une passoire, les saler légèrement et les laisser dégorger 30 minutes. Les assécher avec du papier absorbant.

2 Faire chauffer un peu de beurre et d'huile dans une grande poêle. Y faire frire les courgettes jusqu'à ce qu'elles soient dorées, mais encore croquantes. Retirer du feu et réserver.

3 Faire chauffer les restes du beurre et de l'huile dans une casserole. Ajouter la farine et faire cuire en mélangeant jusqu'à ce que la pâte soit homogène et légèrement colorée. Incorporer graduellement le lait, en remuant bien pour éliminer tous les grumeaux. Faire cuire jusqu'à ce que le mélange soit épais et lisse.

4 Faire cuire les pâtes dans de l'eau bouillante salée jusqu'à ce qu'elles soient *al dente* et les égoutter. Remuer la crème dans la sauce blanche et porter de nouveau à ébullition jusqu'à ce que la sauce soit épaisse. La retirer du feu et y incorporer les courgettes et le basilic. Mettre les pâtes dans un plat de service chaud, les napper de sauce et servir aussitôt.

4 PORTIONS

≈ **TAGLIATELLE AUX COURGETTES ET AU BASILIC**
Vous réussirez parfaitement cette sauce aux saveurs subtiles si vous utilisez des jeunes feuilles de basilic frais. Servi en premier service, ce mets précède très bien un plat de rognons ou de foie d'agneau.

Tagliatelle aux courgettes et au basilic

*Les pâtes aux carottes ont
un goût de noisette et
peuvent être apprêtées de
plusieurs façons. Dans
cette recette, la sauce leur
donne une saveur riche et
légèrement sucrée.*

*Les pâtes fraîches
aux carottes*

PÂTES FRAÎCHES
AUX CAROTTES À LA CRÈME
ET À LA MENTHE

PÂTES
225 g (½ lb) de carottes, pelées et en dés
2 œufs
10 ml (2 c. à t.) d'huile végétale
375 ml (1½ tasse) de semoule de blé dur
375 ml (1½ tasse) de farine tout usage
5 ml (1 c. à t.) de sel
1 pincée de muscade
1 pincée de poivre blanc

SAUCE
225 g (½ lb) de carottes,
pelées et en julienne
45 ml (3 c. à s.) de beurre
15 ml (1 c. à s.) de menthe hachée fin
310 ml (1¼ tasse) de crème
sel et poivre blanc

1 POUR PRÉPARER LES PÂTES : Réduire les
carottes en purée. Pour la préparation au
robot culinaire, ajouter le reste des ingrédients et mélanger pour former une pâte.
Laisser reposer 30 minutes.

2 Pour la préparation à la main, mettre
les farines et les assaisonnements sur une
surface plane et creuser un puits au centre
du mélange. Ajouter les œufs, l'huile et la
purée de carottes. Incorporer à la fourchette
aux ingrédients secs pour obtenir une pâte
grossière. Ensuite, pétrir la pâte, en ajoutant
un peu de farine si nécessaire, pour obtenir
une boule lisse et élastique, soit pendant
environ 8 à 10 minutes. Couvrir d'un linge
humide et laisser reposer 30 minutes.

3 Diviser la boule de pâte en trois. À l'aide
d'un rouleau à pâtisserie ou d'un laminoir,
abaisser chaque portion de pâte en une
feuille mince. Tailler en rectangles d'environ 20 cm (8 po) de long. Les couvrir et les
laisser reposer 15 minutes.

4 Si la pâte est découpée à la main, rouler
chaque rectangle sur lui-même dans le sens
de la longueur et le couper en bandes d'environ 5 mm (¼ po) d'épaisseur. Dérouler
ensuite pour obtenir des tagliarini. Si on
utilise un laminoir, couper les pâtes de la
largeur désirée. Saupoudrer légèrement les
rubans de farine et les laisser reposer, sans
les couvrir, pour qu'ils sèchent un peu.

5 POUR PRÉPARER LA SAUCE : Faire blanchir les carottes dans de l'eau bouillante
salée jusqu'à ce qu'elles soient croquantes.
Faire chauffer le beurre dans une casserole.
Y faire cuire doucement la menthe 30 secondes. Incorporer la crème et laisser
mijoter, sans couvrir, jusqu'à épaississe-
ment. Assaisonner au goût et ajouter les
carottes.

6 Faire cuire les pâtes dans de l'eau bouillante salée jusqu'à ce qu'elles soient *al dente*.
Les égoutter et y remuer un peu d'huile
végétale. Transvider les pâtes dans des
assiettes chaudes et les napper de sauce.
Servir aussitôt.

5 À 6 PORTIONS

SALADE DE PÂTES AUX FRUITS DE MER

150 g (⅓ lb) de fettucine fraîches
ou 110 g (¼ lb) de pâtes sèches
(ajouter un peu de pâtes aromatisées
aux tomates), brisées en petits morceaux
150 g (5 oz) de calmars, en rondelles
150 g (5 oz) de petites palourdes
en conserve, égouttées
180 ml (¾ tasse) de lait
15 ml (1 c. à s.) d'huile d'olive
225 g (½ lb) de crevettes moyennes cuites
1 très petit oignon rouge, émincé
1 petit poivron rouge, tranché
1 branche de céleri, émincée
20 à 40 ml (1½ à 2½ c. à s.) d'aneth haché
375 ml (1½ tasse) de tomates cerises

VINAIGRETTE
180 ml (¾ tasse) d'huile d'olive
2 gousses d'ail, écrasées
jus de 1 citron
45 ml (3 c. à s.) de vinaigre de vin blanc
sel et poivre noir fraîchement moulu

1 Faire cuire les pâtes dans de l'eau bouillante salée jusqu'à ce qu'elles soient *al dente*. Les égoutter, les passer sous l'eau froide et les égoutter de nouveau. Les mettre dans un saladier et y remuer un peu d'huile d'olive.

2 Faire tremper les calmars et les palourdes dans du lait pendant au moins 30 minutes. Les égoutter et les faire cuire doucement dans 15 ml (1 c. à s.) d'huile d'olive jusqu'à ce que les calmars soient opaques et tendres. Mettre dans le saladier.

3 Ajouter les crevettes, l'oignon, le poivron et le céleri. Mélanger légèrement.

4 POUR PRÉPARER LA VINAIGRETTE: Bien incorporer tous les ingrédients dans un bol. Verser sur la salade. Ajouter la moitié de l'aneth et mélanger légèrement, mais complètement, pour bien enrober tous les ingrédients. Réfrigérer 1 heure ou plus. Au moment de servir, garnir du reste de l'aneth et des tomates.

3 À 4 PORTIONS

SALADE DE PÂTES AU POULET, AUX CREVETTES ET AU MELON

110 g (¼ lb) de macaroni en coudes
ou d'autres pâtes de grosseur moyenne
huile végétale
300 g (10 oz) de blanc de poulet
sel et poivre noir fraîchement moulu
30 ml (2 c. à s.) de beurre
1 melon d'hiver
300 g (10 oz) de petites crevettes cuites,
décortiquées et déveinées
250 ml (1 tasse) de céleri, émincé

SAUCE
45 ml (3 c. à s.) de mayonnaise
60 ml (¼ tasse) de yogourt nature
30 ml (2 c. à s.) de crème
1 ml (¼ c. à t.) de sauce chili, au goût
5 ml (1 c. à t.) d'aneth haché,
quelques brins en plus pour garnir
5 ml (1 c. à t.) de gin (facultatif)
sel, poivre fraîchement moulu et sucre

1 Faire cuire les pâtes dans de l'eau bouillante salée jusqu'à ce qu'elles soient *al dente*. Les égoutter, les passer sous l'eau froide et les égoutter de nouveau. Les mettre dans un saladier et y remuer un peu d'huile végétale.

2 Assaisonner les blancs de poulet et les faire cuire dans le beurre chaud en les retournant de temps à autre pour qu'ils soient dorés des deux côtés. Laisser refroidir, trancher en lanières et ajouter aux pâtes.

3 Évider le melon avec une cuiller parisienne pour obtenir des petites boules de pulpe. Les ajouter au saladier avec les crevettes et le céleri.

4 POUR PRÉPARER LA SAUCE: Dans un bol, incorporer la mayonnaise, le yogourt, la crème, la sauce chili, l'aneth et le gin. Assaisonner de sel, de poivre et de sucre. Verser sur la salade et mélanger légèrement pour bien enrober. Couvrir d'une pellicule plastique. Réfrigérer au moins 1 heure avant de servir.

4 À 6 PORTIONS

≈ **LE MELON D'HIVER**
Dans cette recette, vous pouvez remplacer le melon d'hiver par du cantaloup.

Quelle délicieuse saveur se dégage d'un mélange fèves, céleri, huile d'olive extra vierge, parmesan reggiano, poivre noir fraîchement moulu et jus de citron. Ce mélange se marie parfaitement aux pâtes, qu'elles soient chaudes ou froides. Écossez alors les fèves à l'avance pour gagner du temps.

≈ **LA PANCETTA**

La pancetta est de la poitrine de porc salée, épicée et crue.

TAGLIATELLE ET FÈVES

**225 g (½ lb) de fèves fraîches écossées
15 ml (1 c. à s.) d'huile d'olive
2 gousses d'ail
110 g (¼ lb) de pancetta ou de bacon, en morceaux
450 g (1 lb) de tagliatelle fraîches ou 300 g (⅔ lb) de pâtes sèches
1 branche de céleri, émincée
5 ml (1 c. à t.) de moutarde forte
15 ml (1 c. à s.) de persil haché fin
sel et poivre noir fraîchement moulu
jus de ½ citron
15 ml (1 c. à s.) d'huile d'olive extra vierge
225 g (½ lb) de parmesan reggiano, en cubes de 1 cm (½ po)
Parmesan fraîchement râpé**

1 Faire cuire les fèves dans de l'eau bouillante salée jusqu'à ce qu'elles soient *al dente*, environ 4 minutes, selon leur degré de fraîcheur. Égoutter, rincer sous l'eau froide et égoutter de nouveau. Lorsqu'elles sont suffisamment refroidies, en retirer la pellicule blanche et les réserver.

2 Faire chauffer l'huile d'olive dans une poêle. Y faire sauter l'ail et la pancetta jusqu'à ce que cette dernière soit dorée et croustillante.

3 Faire cuire les pâtes dans de l'eau bouillante salée jusqu'à ce qu'elles soient *al dente* et les égoutter.

4 Ajouter dans la poêle le céleri, la moutarde, le persil, le sel et le poivre. Remuer et faire cuire 1 minute. Retirer les gousses d'ail. Ajouter les fèves, le jus de citron et l'huile d'olive extra vierge. Mélanger pour réchauffer.

5 Ajouter les pâtes et le parmesan. Mélanger rapidement avant de servir dans des assiettes individuelles.

6 Accompagner de parmesan et de poivre noir.

4 PORTIONS, EN HORS-D'ŒUVRE OU EN REPAS LÉGER

TORTILLONS À LA TRUITE FUMÉE

**450 g (1 lb) de tortillons frais ou 300 g (⅔ lb) de pâtes sèches
45 ml (3 c. à s.) d'huile d'olive
30 ml (2 c. à s.) de poireau haché fin
410 ml (1⅔ tasse) de tomates italiennes pelées en conserve
1 grosse pincée de muscade
1 ml (¼ c. à t.) de poivre noir moulu
180 ml (¾ tasse) de crème
sel
125 ml (½ tasse) de cognac
225 g (½ lb) de filet de truite fumée, en morceaux de 2 cm (¾ po)**

**CHAPELURE CITRONNÉE AU PARMESAN
45 ml (3 c. à s.) de parmesan râpé
10 ml (2 c. à t.) de chapelure
10 ml (2 c. à t.) de persil haché fin
zeste de 1 citron, râpé**

1 Faire cuire les pâtes dans de l'eau bouillante salée jusqu'à ce qu'elles soient *al dente* et les égoutter.

2 Faire chauffer l'huile dans une poêle. Y faire suer le poireau, environ 3 minutes. Égoutter les tomates et presser chacune d'elles au-dessus d'un évier, jusqu'à ce que la pulpe commence à se fendre, pour en extraire le surplus de jus et la plupart des graines. Les ajouter au poireau dans la poêle. Couvrir et faire cuire à feu doux 3 à 4 minutes. Y remuer la muscade et le poivre. Incorporer la crème.

3 Couvrir et prolonger la cuisson à feu doux, 1 ou 2 minutes. Rectifier l'assaisonnement.

4 Incorporer les pâtes et le cognac. Augmenter le feu et faire cuire, en remuant souvent, jusqu'à ce que la sauce épaississe légèrement. Y mélanger les morceaux de truite et remuer pour réchauffer complètement, environ 20 secondes.

5 POUR PRÉPARER LA CHAPELURE CITRONNÉE AU PARMESAN : Bien mélanger tous les ingrédients dans un bol. Servir à part.

4 PORTIONS

SALADE PRIMAVERA

**225 g (½ lb) de tortillons ou de spirales
frais aux épinards, ou 150 g (⅓ lb)
de pâtes sèches**

**325 ml (1½ tasse) de petits pois frais
écossés**

**110 g (¼ lb) de petits haricots verts,
parés et coupés en deux**

**225 g (½ lb) d'asperges fraîches,
en morceaux de 4 cm (1½ po)**

225 g (½ lb) de bouquets de brocoli

2 petites courgettes, tranchées en biseau

quelques brins d'estragon

VINAIGRETTE

60 ml (¼ tasse) d'huile d'olive

30 ml (2 c. à s.) de jus de citron

5 ml (1 c. à t.) de moutarde forte

**15 ml (1 c. à s.) d'estragon frais haché fin
ou 2,5 ml (½ c. à t.) d'estragon séché, broyé
et ayant trempé 45 minutes dans 5 ml
(1 c. à t.) d'huile d'olive**

sel et poivre noir fraîchement moulu

1 Faire cuire les pâtes dans de l'eau bouillante salée jusqu'à ce qu'elles soient *al dente*. Égoutter, passer sous l'eau froide et égoutter de nouveau. Les mettre dans un saladier et y remuer un peu d'huile d'olive pour les empêcher de coller.

2 Faire blanchir séparément tous les légumes, jusqu'à ce qu'ils soient croquants. Les égoutter, les rincer sous l'eau très froide et les égoutter de nouveau. Les ajouter aux pâtes.

3 POUR PRÉPARER LA VINAIGRETTE : Incorporer tous les ingrédients dans un bol. Verser sur la salade et mélanger légèrement pour bien enrober. Garnir de brins d'estragon. Réfrigérer 1 ou 2 heures avant de servir.

5 À 6 PORTIONS, EN REPAS LÉGER

Salade primavera

L'utilisation de basilic frais donne un goût subtil et délicat à cette lasagne.

Lasagne à la ricotta et au basilic

LASAGNE À LA RICOTTA ET AU BASILIC

**450 g (1 lb) de lasagnes fraîches
ou 350 g (¾ lb) de pâtes sèches
60 ml (¼ tasse) de beurre
45 ml (3 c. à s.) de farine tout usage
sel et poivre blanc
1 pincée de muscade
500 ml (2 tasses) de lait
30 ml (2 c. à s.) de basilic frais, haché fin
125 ml (½ tasse) de ricotta
125 ml (½ tasse) de parmesan, râpé**

1 Dans une grande casserole remplie d'eau bouillante salée, faire cuire les feuilles de lasagne, quelques-unes à la fois, jusqu'à ce qu'elles soient *al dente*. Les retirer à l'aide d'une écumoire et les assécher entre 2 linges propres. Cette étape est nécessaire, car le temps de cuisson au four ne suffit pas pour faire cuire complètement la lasagne.

2 Faire fondre le beurre dans une casserole et y remuer la farine. Ajouter un peu de sel, de poivre et de muscade. Faire cuire à feu doux jusqu'à ce que le mélange commence à changer de couleur. Y remuer le lait, peu à peu, pour obtenir une sauce homogène et épaisse. Retirer du feu et y incorporer 15 ml (1 c. à s.) de basilic, la ricotta et la moitié du parmesan. Rectifier l'assaisonnement.

3 Préchauffer le four à 200 °C (400 °F).

4 Dans un plat à gratin beurré, placer une couche de feuilles de lasagne, suivie d'une fine couche de mélange à la ricotta. Saupoudrer d'un peu de parmesan et du reste du basilic. Continuer de superposer les couches dans le même ordre, en finissant par la sauce et le parmesan.

5 Faire cuire 20 minutes au four. Servir chaud.

4 À 5 PORTIONS, EN HORS-D'ŒUVRE

ROULEAU AU THON ET AUX ÉPINARDS

PÂTE
**625 ml (2½ tasses) de farine tout usage
1 grosse pincée de sel
3 œufs, battus**

FARCE
**1,3 kg (2½ lb) d'épinards frais
270 g (9 oz) de thon à l'huile, égoutté et émietté
6 à 8 filets d'anchois, hachés fin
125 ml (½ tasse) de parmesan, râpé
250 ml (1 tasse) de fine chapelure fraîche
3 œufs, battus
sel et poivre noir fraîchement moulu**

1 POUR PRÉPARER LA PÂTE : Mélanger la farine et le sel sur une surface plane et y creuser un puits au centre. Ajouter les œufs et les incorporer à la farine à l'aide d'une fourchette jusqu'à ce que la pâte commence à se former. La pétrir ensuite à la main jusqu'à ce qu'elle soit lisse et élastique, soit environ 6 minutes. Ajouter, si nécessaire, un peu de farine ou d'eau. Couvrir d'un linge humide et laisser reposer 30 minutes.

2 POUR PRÉPARER LA FARCE: Parer les épinards. Rincer les feuilles sous l'eau froide et les secouer pour en retirer le surplus d'eau. Les mettre dans une grande casserole et ajouter une bonne pincée de sel. Couvrir et faire cuire à feu doux jusqu'à ce qu'elles soient tendres. Égoutter et laisser refroidir un peu. Presser les épinards pour en extraire le surplus d'eau et les hacher fin. Mettre dans un grand bol et y ajouter le thon, les anchois, le parmesan, la chapelure et les œufs. Saler, poivrer au goût. Bien mélanger.

3 POUR ASSEMBLER: À l'aide d'un rouleau à pâtisserie, abaisser la pâte en un grand rectangle de 3 à 4 mm (⅛ po) d'épaisseur. Le déposer sur un linge légèrement fariné. Y étaler la farce, en laissant un bord de 3 cm (1¼ po) tout autour. Rouler doucement la pâte, comme pour un biscuit roulé, en se servant du linge pour la soulever. Envelopper fermement la pâte dans une étamine et en ficeler les extrémités. La mettre dans un long plat étroit allant au four, couvrir d'eau froide légèrement salée et porter à ébullition. Baisser le feu et laisser mijoter 15 à 20 minutes. Laisser refroidir légèrement dans l'eau de cuisson avant de retirer la pâte. Enlever délicatement la mousseline et trancher avant de servir.

6 PORTIONS

≈ LES ROULEAUX DE PÂTES FARCIS

Vous pouvez présenter ces rouleaux de plusieurs façons. Les tranches peuvent être disposées sur un long plat de service peu profond et nappées d'une sauce légère chaude, par exemple une sauce aux tomates fraîches.

Vous pouvez aussi les mettre dans un plat à gratin beurré, les parsemer de parmesan et de beurre et les faire gratiner au four 5 minutes. Pour obtenir une saveur plus douce et une texture plus croustillante, versez du beurre fondu sur le rouleau et mettez-le au four 4 à 5 minutes avant de le trancher. Ces rouleaux peuvent aussi être servis lors d'un buffet, comme hors-d'œuvre ou en repas léger.

PENNE ET THON FRAIS À LA SAUCE AUX RAISINS SECS ET AUX AMANDES

30 ml (2 c. à s.) de beurre
675 g (1½ lb) de darnes de thon, en lanières
300 g (⅔ lb) de penne (plumes)
2 jaunes d'œufs, battus

SAUCE
95 ml (⅓ tasse plus 1 c. à s.) de beurre
45 ml (3 c. à s.) de farine tout usage
1 ml (¼ c. à t.) de muscade
sel et poivre blanc
250 ml (1 tasse) de vin blanc
45 ml (3 c. à s.) de raisins de Corinthe
80 ml (⅓ tasse) de raisins secs
60 ml (¼ tasse) d'amandes blanchies, effilées
15 ml (1 c. à s.) de jus de citron frais
5 ml (1 c. à t.) de sucre

1 Faire fondre le beurre dans une grande poêle. Y faire sauter le thon jusqu'à ce qu'il soit complètement cuit. Réserver et garder chaud.

2 POUR PRÉPARER LA SAUCE: Faire fondre le beurre et y incorporer la farine. Faire cuire, en remuant, jusqu'à ce que le roux soit lisse et doré. Assaisonner de muscade, de sel et de poivre et faire cuire rapidement. Y mélanger graduellement le vin, en remuant sans cesse.

3 Lorsque la sauce est onctueuse, ajouter les raisins, les amandes, le jus de citron et le sucre. Porter à ébullition et laisser mijoter à feu doux 20 minutes.

4 Faire cuire les pâtes dans de l'eau bouillante salée jusqu'à ce qu'elles soient *al dente*, les égoutter et les enrober d'un peu d'huile.

5 Fouetter un peu de la sauce chaude dans les œufs battus. Retirer du feu et incorporer le mélange aux œufs battus à la sauce, en fouettant. Garder chaud.

6 Servir les pâtes dans des assiettes chaudes.

7 Y ajouter du thon émietté, puis napper de sauce. Laisser aux invités le soin de mélanger eux-mêmes leurs pâtes.

4 PORTIONS

≈ PENNE ET THON FRAIS À LA SAUCE AUX RAISINS SECS ET AUX AMANDES

Dans cette recette, le goût riche et prononcé du thon est adouci par les fruits secs et par les amandes. Pour varier, vous pouvez remplacer le thon par de la morue ou de la plie et omettre les fruits secs de la recette. Doublez alors la quantité d'amandes et faites-les griller dans du beurre avant de faire le roux.

≈ **Fettucine aux tomates, aux calmars et aux pois mange-tout**

Cette sauce douce, mais riche, peut être modifiée en omettant la crème et en mélangeant les pâtes cuites à la sauce directement dans la poêle avant de servir. Vous pouvez aussi utiliser des fettucine ordinaires et y ajouter des tomates coupées en tranches fines avant de servir.

TAGLIARINI AUX PÉTONCLES ET AUX POIVRONS GRILLÉS

Pour préparer cette sauce plus rapidement, utilisez des piments doux rôtis en conserve au lieu des poivrons grillés.

**450 g (1 lb) de tagliarini frais
ou 300 g (⅔ tasse) de pâtes sèches
1 poivron rouge
1 poivron vert
450 g (1 lb) de pétoncles frais,
parés et nettoyés
sel et poivre noir fraîchement moulu
farine tout usage
45 ml (3 c. à s.) d'huile
1 gousse d'ail
10 ml (2 c. à t.) de persil haché
jus de ½ citron
2 blancs de poireaux, émincés
250 ml (1 tasse) de bouillon de volaille
45 ml (3 c. à s.) de chapelure fraîche grillée
mélangée au zeste râpé de 1 citron**

1 Faire griller les poivrons sous un gril chaud jusqu'à ce que la peau noircisse et se boursoufle de toute part. Les retirer du four et les mettre dans un sac en plastique. Sceller et laisser suer. Retirer du sac les poivrons refroidis, les éplucher, puis les tailler en lanières.

2 Assaisonner les pétoncles et les enrober de farine. Faire chauffer l'huile et ajouter l'ail. Faire sauter les pétoncles rapidement jusqu'à ce qu'ils soient dorés. Les retirer de la poêle. Les saupoudrer de persil et les arroser de jus de citron. Retirer la gousse d'ail.

3 Mettre les poireaux dans la poêle et les faire suer. Incorporer le bouillon, augmenter légèrement le feu et faire réduire de moitié. Ajouter les pétoncles et les poivrons et réchauffer complètement.

4 Faire cuire les pâtes dans de l'eau bouillante salée jusqu'à ce qu'elles soient *al dente*. Les égoutter, les ajouter à la sauce et bien remuer pour les enrober. Rectifier l'assaisonnement. Parsemer de chapelure citronnée et servir aussitôt.

4 PORTIONS

AGNOLOTTI AUX FRUITS DE MER À LA CORIANDRE ET À LA COURGETTE

PÂTES
**810 ml (3¼ tasses) de farine tout usage
1 grosse pincée de sel
4 œufs
1 œuf, battu**

FARCE
**225 g (½ lb) de filet de poisson blanc,
poché, désossé et haché fin
225 g (½ lb) de crevettes cuites
ou de chair de crabe, hachée fin
30 ml (2 c. à s.) de coriandre hachée
160 ml (⅔ tasse) de chapelure fraîche
80 ml (⅓ tasse) de fontina, râpé fin
1 ml (¼ c. à t.) de sel
60 ml (¼ tasse) d'épinards cuits,
asséchés et hachés fin
425 ml (1¾ tasse) de ricotta**

SAUCE
**80 ml (⅓ tasse) de beurre
1 petite courgette, râpée
sel et muscade
feuilles de coriandre, en fines lanières**

1 POUR PRÉPARER LES PÂTES : Mettre la farine sur une surface plane. Creuser un puits au centre et y ajouter le sel et quatre œufs. À l'aide d'une fourchette, briser les œufs et les incorporer doucement à la farine, jusqu'à la formation d'une pâte grossière. Pétrir à la main, en ajoutant un peu de farine ou d'eau, si nécessaire, jusqu'à l'obtention d'une boule de pâte lisse et élastique. L'envelopper dans un linge humide et la laisser reposer 30 minutes.

2 Diviser la boule de pâte en quatre. À l'aide d'un rouleau à pâtisserie ou d'un laminoir, abaisser chaque portion en une feuille très mince. Couvrir et laisser reposer 12 à 15 minutes.

3 **Pour préparer la farce :** Bien mélanger tous les ingrédients dans un bol.

4 À l'aide d'un emporte-pièce, découper dans les feuilles de pâtes des cercles d'environ 5 cm (2 po) de diamètre. Pendant l'opération, garder la pâte et les cercles découpés recouverts d'un linge afin de les empêcher de sécher. Prendre quelques cercles à la fois, en badigeonner les bords d'œuf battu. Déposer un peu de farce au centre de chacun d'eux et les replier sur eux-mêmes en forme de demi-lune. Sceller les bords, puis les découper à l'aide d'une roulette dentelée. Disposer les agnolotti en une seule couche et les saupoudrer très légèrement de farine. Les plonger dans de l'eau bouillante salée et laisser mijoter 3 à 4 minutes.

5 **Pour préparer la sauce :** Faire dorer le beurre dans une casserole et y ajouter la courgette. Remuer à feu très doux. Assaisonner de sel et d'une pincée de muscade. Garder chaud.

6 Égoutter les agnolotti et les disposer dans un plat de service chaud. Y incorporer la sauce. Parsemer de coriandre et mélanger avant de servir.

4 PORTIONS

FETTUCINE AUX TOMATES AUX CALMARS ET AUX POIS MANGE-TOUT

225 g (½ lb) g de jeunes calmars, nettoyés et en rondelles

lait

350 g (¾ lb) de fettucine fraîches aux tomates ou 300 g (⅔ lb) de pâtes sèches

45 ml (3 c. à s.) de beurre doux

1 goutte de cognac

10 petits pois mange-tout, parés et coupés en deux

sel et poivre blanc

1 ou 2 pincées de safran en poudre

180 ml (¾ tasse) de crème

1 Recouvrir les calmars de lait et les laisser tremper 45 minutes.

2 Faire cuire les pâtes dans de l'eau bouillante salée jusqu'à ce qu'elles soient *al dente* et les égoutter.

3 Égoutter les calmars et réserver le lait. Les faire frire rapidement dans le beurre fondu jusqu'à ce qu'ils soient tendres, environ 1 à 2 minutes. Mouiller de cognac et remuer jusqu'à ce que le liquide soit évaporé. Ajouter 60 ml (¼ tasse) du lait réservé et le faire réduire un peu avant d'ajouter les pois mange-tout. Saler, poivrer et ajouter le safran. Faire cuire rapidement avant d'incorporer la crème. Poursuivre la cuisson jusqu'à ce que la sauce épaississe légèrement.

4 Mettre les pâtes dans des assiettes chaudes et les napper de sauce. Laisser aux invités le soin de les mélanger.

4 PORTIONS, EN HORS-D'ŒUVRE

Fettucine aux tomates aux calmars et aux pois mange-tout (en haut) et Agnolotti aux fruits de mer à la coriandre et à la courgette (en bas)

PÂTES AU SAFRAN AUX PÉTONCLES ET AU CAVIAR

PÂTES
7,5 ml (1½ c. à t.) de safran en poudre
10 ml (2 c. à t.) d'eau tiède
625 ml (2½ tasses) de farine tout usage ou 310 ml (1¼ tasse) de farine tout usage et 250 ml (1 tasse) de semoule de blé dur
1 grosse pincée de sel
3 œufs

SAUCE
350 g (¾ lb) de pétoncles frais, couverts de lait et ayant trempé 30 minutes
30 ml (2 c. à s.) de beurre
sel et poivre blanc
5 à 10 ml (1 à 2 c. à t.) de Pernod ou de Ricard
310 ml (1¼ tasse) de crème
15 ml (1 c. à s.) de caviar ou d'œufs de lump

1 POUR PRÉPARER LES PÂTES : Mélanger le safran à l'eau et laisser tremper 10 minutes. Mettre la farine et le sel sur une surface plane et creuser un puits au centre. Y déposer les œufs, le safran et l'eau. Y mélanger la farine à l'aide d'une fourchette jusqu'à ce que la pâte soit grossièrement amalgamée. La pétrir ensuite à la main jusqu'à ce qu'elle soit souple et élastique. Ajouter un peu de farine ou d'eau, si nécessaire. Façonner en boule, envelopper dans un linge humide et laisser reposer 30 minutes. Si préféré, mélanger la pâte au robot culinaire.

2 Diviser la boule de pâte en quatre. À l'aide d'un rouleau à pâtisserie ou d'un laminoir, abaisser chaque portion pour obtenir de longues feuilles de l'épaisseur des tagliatelle. Couvrir de nouveau et laisser reposer au moins 10 minutes. Découper la pâte de la largeur des tagliarini, soit d'environ 5 mm (¼ po.).

3 POUR PRÉPARER LA SAUCE : Retirer les pétoncles du lait à l'aide d'une écumoire, en réservant le lait. Faire fondre le beurre dans une poêle et y faire frire les pétoncles jusqu'à ce qu'ils deviennent opaques. Assaisonner légèrement et ajouter le Pernod. Augmenter le feu et remuer jusqu'à ce que la plupart du liquide soit évaporé. Retirer les pétoncles et les réserver. Verser la crème dans la poêle et la faire bouillir jusqu'à ce que le jus de cuisson épaississe.

4 Faire cuire les pâtes dans de l'eau bouillante salée jusqu'à ce qu'elles soient *al dente*, 1½ à 2 minutes. Rectifier l'assaisonnement de la sauce et y réchauffer les pétoncles. Égoutter les pâtes et y remuer rapidement un peu d'huile végétale avant de les servir dans des assiettes chaudes. Napper de sauce, parsemer de caviar. Laisser aux convives le soin de mélanger leurs pâtes.

4 PORTIONS, EN HORS-D'ŒUVRE

FETTUCINE AU SAUMON FUMÉ ET AUX ASPERGES

PÂTES
410 ml (1⅔ tasse) de farine tout usage ou 310 ml (1¼ tasse) de farine tout usage et 250 ml (1 tasse) de semoule de blé dur
1 pincée de sel
10 ml (2 c. à t.) de persil haché fin
10 ml (2 c. à t.) de basilic haché fin
2 œufs

SAUCE
350 g (¾ lb) de pointes d'asperges, parées et coupées en deux
30 ml (2 c. à s.) de beurre
150 g (5 oz) de tranches de saumon fumé, en lanières
250 ml (1 tasse) de crème
poivre noir fraîchement moulu

1 POUR PRÉPARER LES PÂTES : Mettre la farine et le sel sur une surface plane et creuser un puits au centre. Y déposer les aromates et les œufs. Les incorporer à la farine à l'aide d'une fourchette jusqu'à ce que la pâte soit grossièrement façonnée. La pétrir à la main pendant au moins 6 minutes, en ajoutant un peu de farine ou d'eau si nécessaire, pour obtenir une pâte lisse et élastique. Couvrir d'un linge humide et laisser reposer 30 minutes.

2 Diviser la pâte en deux. À l'aide d'un rouleau à pâtisserie ou d'un laminoir, abaisser chaque portion en une mince feuille. Couvrir et laisser reposer de nouveau 10 minutes avant de découper les feuilles en fettucine. Réserver et les couvrir seulement si elles risquent de sécher avant la cuisson.

3 **POUR PRÉPARER LA SAUCE :** Mettre les tiges des asperges dans une grande casserole remplie d'eau bouillante salée. Faire bouillir 1 minute avant d'y ajouter les pointes d'asperges et poursuivre la cuisson jusqu'à ce qu'elles soient tendres. Les retirer à l'aide d'une écumoire et les rincer sous l'eau froide. Les égoutter et dès qu'elles ont refroidi, les couper de nouveau en deux en jetant toute partie coriace.

4 Faire cuire les pâtes dans de l'eau bouillante salée jusqu'à ce qu'elles soient *al dente* et les égoutter.

5 Faire fondre le beurre dans une grande poêle. Y ajouter le saumon fumé et faire cuire 30 secondes à feu doux. Ajouter la crème et faire épaissir à feu moyen. Poivrer généreusement et incorporer les asperges.

6 Ajouter les pâtes dans la poêle contenant la sauce. Bien mélanger et servir avec du parmesan fraîchement râpé.

4 PORTIONS, EN HORS-D'ŒUVRE

≈ **LES PÂTES AUX FINES HERBES FRAÎCHES**

Les pâtes aux fines herbes fraîches sont délicieuses accompagnées d'une sauce légère ou simplement servies avec un peu de beurre et du fromage râpé. Vous apprécierez sûrement le goût des pâtes au basilic servies avec une sauce froide à base de tomates fraîches ou encore le goût des fettucine à la sauge fraîche nappées d'une sauce crémeuse au gorgonzola. Les fines herbes et les légumes de saison se marient très bien comme vous pouvez le constater en préparant la recette des Fettucine au saumon fumé et aux asperges.

ESPADON AUX COURGETTES ET AU SAFRAN

3 courgettes, en julienne
45 ml (3 c. à s.) de beurre doux
450 g (1 lb) de filet d'espadon
ou de thon frais, en tranches
de 3 à 4 cm (1¼ à 1½ po) d'épaisseur
2 petits oignons, émincés
1 gousse d'ail, écrasée
1 pincée de safran en poudre
2,5 ml (½ c. à t.) de sel
2,5 ml (½ c. à t.) de poivre noir
fraîchement moulu
125 ml (½ tasse) de bouillon de volaille
125 ml (½ tasse) de crème
450 g (1 lb) de fettucine fraîches
ou 350 g (¾ lb) de pâtes sèches
1 ml (¼ c. à t.) de muscade
1 ml (¼ c. à t.) de curry

1 Saler légèrement les courgettes et les laisser dégorger dans une passoire pendant 30 minutes.

2 Faire chauffer la moitié du beurre dans une grande poêle. Y faire frire l'espadon jusqu'à ce qu'il soit complètement cuit. Le retirer à l'aide d'une écumoire et le réserver.

3 Ajouter le reste du beurre à la poêle. Y faire suer les oignons et l'ail. Ajouter le safran et les assaisonnements. Remuer pour enrober. Incorporer le bouillon et la crème et faire réduire à feu moyen.

4 Faire cuire les pâtes dans de l'eau bouillante salée jusqu'à ce qu'elles soient *al dente* et les égoutter.

5 Lorsque la sauce est épaisse et homogène, ajouter les courgettes égouttées et les faire pocher 1 minute. Réchauffer complètement le poisson.

6 Déposer les pâtes dans un plat de service chaud et les napper de sauce juste avant de servir.

**4 PORTIONS, EN HORS-D'ŒUVRE
OU EN REPAS LÉGER**

≈ **LE SAFRAN**

Le safran provient des fleurs de crocus. On peut se le procurer en poudre ou en filaments. On doit faire tremper les filaments dans un peu d'eau pour faire ressortir leur parfum et leur couleur. On peut aussi les faire griller légèrement pour intensifier leur couleur.

COQUILLES FARCIES AU BACON, AUX ÉPINARDS ET À LA RICOTTA

Pour servir les coquilles en hors-d'œuvre, faites-les cuire à 175 °C (350 °F) jusqu'à ce que le fromage grésille. Elles seront alors plus fermes et plus faciles à prendre avec les doigts. Faites-en cuire un peu plus que la quantité demandée dans la recette, car certaines d'entre elles peuvent se briser pendant la cuisson.

12 coquilles géantes
5 ml (1 c. à t.) d'huile d'olive
1 gousse d'ail, écrasée
**110 g (¼ lb) de pancetta ou de bacon,
en morceaux de 1 cm (½ po)**
4 tomates italiennes pelées en conserve
15 ml (1 c. à s.) de chapelure fraîche
60 ml (¼ tasse) de crème
680 g (2¾ tasses) de ricotta
**250 ml (1 tasse) d'épinards cuits,
bien asséchés et hachés fin**
**5 ml (1 c. à t.) de basilic frais haché
ou 2,5 ml (½ c. à t.) de basilic séché**
45 ml (3 c. à s.) de parmesan râpé
1 bonne pincée de muscade
sel et poivre noir fraîchement moulu
parmesan râpé

1 Faire cuire les pâtes en les remuant une ou deux fois pendant la cuisson, jusqu'à ce qu'elles soient presque cuites. Les égoutter, les rincer sous l'eau froide et les égoutter de nouveau. Réserver.

2 Faire chauffer l'huile dans une poêle. Y faire sauter l'ail et le bacon, jusqu'à ce que la graisse du bacon fonde et qu'il devienne croustillant, soit 2 à 3 minutes.

3 Presser les tomates avec les mains, au-dessus de l'évier, pour en extraire le surplus de jus. Ajouter la pulpe des tomates à la poêle. Y remuer la chapelure et faire frire rapidement. Bien y incorporer la crème, et remuer 1 ou 2 minutes, jusqu'à ce que le mélange devienne assez sec.

4 Mettre la ricotta dans un bol avec le mélange au bacon, les épinards, le basilic, le parmesan et la muscade. Bien mélanger. Assaisonner au goût.

5 Remplir chaque coquille d'un peu de farce et les ranger, bien serrées, dans un plat à gratin peu profond.

6 Parsemer du reste de la farce et du parmesan pour gratiner. Faire dorer sous le gril chaud jusqu'à ce que le fromage fonde et grésille.

4 PORTIONS, EN HORS-D'ŒUVRE

PÂTES AUX POIVRONS ROUGES GRILLÉS

5 gros poivrons rouges
**350 g (¾ lb) de pâtes striées
(penne, spirales ou conchiglie)**
45 ml (3 c. à s.) d'huile d'olive extra vierge
45 ml (3 c. à s.) d'huile d'olive
**45 ml (3 c. à s.) de basilic haché fin
ou 60 ml (¼ tasse) de persil, haché fin**
3 filets d'anchois, égouttés et émincés
2 gousses d'ail, écrasées
sel et poivre noir fraîchement moulu

1 Faire griller les poivrons sous le gril chaud jusqu'à ce que leur chair noircisse et se fendille. Les retourner pour permettre à tous les côtés de noicir. Les retirer et les placer tout de suite dans un sac de plastique. Bien sceller et laisser suer 30 minutes. Les peler, les épépiner et les couper en morceaux de 5 cm (2 ½ po) de long. Mouiller d'un peu d'huile d'olive extra vierge et réserver.

2 Faire cuire les pâtes dans de l'eau bouillante salée jusqu'à ce qu'elles soient *al dente* et les égoutter.

3 Faire chauffer l'huile d'olive dans une poêle. Y faire sauter le basilic, les anchois et l'ail 1 minute à feu doux. Y remuer les poivrons, saler et poivrer. Ajouter un peu d'huile d'olive extra vierge et faire cuire à feu doux pour développer l'arôme.

4 Mélanger les pâtes à la sauce. Ajouter du basilic ou du persil grossièrement hachés.

4 PORTIONS

Coquilles farcies au bacon, aux épinards et à la ricotta (en haut) et Pâtes aux poivrons rouges grillés (en bas)

Les cannelloni sont faciles à préparer – même s'ils demandent un peu de temps. Si vous ne trouvez pas de feuilles de pâte aux tomates fraîches, vous pouvez les remplacer par des feuilles de pâtes ordinaires. Ce plat est très rafraîchissant et se sert parfaitement bien l'été. Vous pouvez le préparer à l'avance.

SAUMON ET CANNELLONI AU CITRON

PÂTES AUX TOMATES
625 ml (1½ tasse) de farine tout usage
1 pincée de sel
2 œufs
45 ml (3 c. à s.) de pâte de tomates

FARCE
500 ml (2 tasses) de ricotta
880 g (1¾ lb) de saumon rose en conserve, égoutté (le liquide réservé)
jus de 1 citron
1 gros œuf, battu légèrement
45 ml (3 c. à s.) d'oignon haché fin
2,5 ml (½ c. à t.) de sel

SAUCE
110 g (¼ lb) de beurre
160 ml (⅔ tasse) de farine tout usage
2,5 ml (½ c. à t.) de sel
1 ml (¼ c. à t.) de poivre blanc
1 ml (¼ c. à t.) de muscade
680 ml (2¾ tasses) de lait
le liquide réservé du saumon
zeste râpé de 1 citron

GARNITURE
15 ml (1 c. à s.) d'aneth haché

1 POUR PRÉPARER LES PÂTES : Tamiser la farine et le sel sur une surface plane et creuser un puits au centre. Battre légèrement les œufs avec la pâte de tomates. Verser le mélange dans le puits. À l'aide d'une fourchette, incorporer graduellement la farine jusqu'à l'obtention d'une pâte grossière. Pétrir ensuite à la main pour obtenir une pâte lisse. Ajouter un peu de farine si la pâte est trop mouillée au toucher. Façonner en boule, couvrir d'une pellicule plastique ou d'un bol renversé, et laisser reposer 30 minutes.

2 Diviser la boule de pâte en deux. À l'aide d'un rouleau à pâtisserie ou d'un laminoir, abaisser chaque moitié en une mince feuille. Découper en carrés d'environ 12 cm (5 po) de côté.

3 POUR PRÉPARER LA FARCE : Bien mélanger tous les ingrédients dans un bol.

4 POUR PRÉPARER LA SAUCE : Faire fondre le beurre dans une casserole et y remuer la farine. Faire cuire à feu doux jusqu'à ce que le mélange soit lisse et légèrement coloré.

Y incorporer le sel, le poivre et la muscade. Ajouter graduellement le lait, en remuant constamment, et faire cuire jusqu'à ce que la sauce soit onctueuse et épaisse. Ajouter le liquide réservé et le zeste de citron. Laisser refroidir.

5 Préchauffer le four à 175 °C (350 °F).

6 POUR ASSEMBLER LES CANNELLONI : Faire cuire les feuilles de pâte, quelques-unes à la fois, dans de l'eau bouillante salée, jusqu'à ce qu'elles soient *al dente*. Les retirer à l'aide d'une grosse écumoire et les étaler sur un linge pour les égoutter. Les découper à la grandeur désirée. Déposer une épaisse quantité de farce le long de chaque feuille et rouler afin d'obtenir des tubes farcis. Étaler le tiers de la sauce dans le fond d'un plat peu profond allant au four. Y déposer les tubes de cannelloni, côte à côte. Y verser le reste de la sauce en prenant soin de bien recouvrir les pâtes. Parsemer d'aneth haché. Faire cuire au four jusqu'à ce que la sauce bouillonne, environ 30 minutes.

4 PORTIONS, EN HORS-D'ŒUVRE OU EN REPAS LÉGER

RAVIOLI AU GORGONZOLA ET AUX NOIX

PÂTES
875 ml (3½ tasses) de farine tout usage
1 grosse pincée de sel
4 œufs, légèrement battus
1 œuf, battu, pour sceller

FARCE
250 ml (1 tasse) de ricotta
80 ml (⅓ tasse) de gorgonzola
125 ml (½ tasse) de noix de Grenoble, hachées
125 ml (½ tasse) de parmesan, râpé
45 ml (3 c. à s.) de chapelure fraîche grillée

SAUCE
45 ml (3 c. à s.) de beurre
125 ml (½ tasse) de crème
parmesan râpé

1 POUR PRÉPARER LES PÂTES: Tamiser la farine et le sel sur une surface plane, en creusant un puits au centre. Y déposer les quatre œufs légèrement battus et incorporer la farine à l'aide d'une fourchette jusqu'à ce que la pâte soit légèrement liée. Pétrir ensuite à la main pendant environ 6 minutes et façonner en une boule lisse et élastique. Couvrir d'un linge humide et laisser reposer 30 minutes.

2 Diviser la pâte en quatre. À l'aide d'un rouleau à pâtisserie ou d'un laminoir, abaisser chaque portion en une feuille très mince. Couvrir et laisser reposer pendant la préparation de la farce.

3 POUR PRÉPARER LA FARCE: Incorporer tous les ingrédients au robot culinaire jusqu'à l'obtention d'une pâte grossière.

4 En travaillant une feuille de pâte à la fois, découper des carrés de 5 cm (2 po) de côté. Mettre un peu de farce au centre de chacun d'eux, badigeonner les bords d'œuf battu, les plier pour former des triangles et sceller. Tailler les bords à l'aide d'une roulette à pâte dentelée. Les ranger en une seule couche jusqu'à ce qu'ils soient tous prêts.

5 Dans une grande casserole remplie d'eau bouillante salée, ajouter quelques gouttes d'huile d'olive, puis faire pocher les ravioli, quelques-uns à la fois, jusqu'à ce qu'ils soient cuits, soit environ 4 minutes. Les mettre dans un plat de service chaud.

6 POUR PRÉPARER LA SAUCE: Faire fondre le beurre, ajouter la crème et laisser mijoter pour la faire épaissir légèrement. Verser sur les ravioli. Ajouter 20 à 40 ml (1½ à 2½ c. à s.) de parmesan. Mélanger un peu avant de servir. Accompagner de parmesan râpé et de poivre.

4 PORTIONS

TERRINE AU PORC ET AU VEAU

110 g (¼ lb) de ditalini ou autres pâtes à potage
1 petit poivron vert, épépiné et haché grossièrement
250 ml (1 tasse) de carottes, pelées et tranchées
4 gousses d'ail
2 oignons, hachés grossièrement
45 ml (3 c. à s.) de persil haché
8 tranches de bacon
7,5 ml (1½ c. à t.) rase de thym séché
1,4 kg (3 lb) de porc et de veau, haché
180 ml (¾ tasse) de chapelure fraîche
2 œufs, légèrement battus
5 ml (1 c. à t.) de muscade
sel et poivre noir fraîchement moulu

1 Faire cuire les pâtes dans de l'eau bouillante salée jusqu'à ce qu'elles soient *al dente*. Les égoutter, les rincer sous l'eau froide et les égoutter de nouveau.

2 Préchauffer le four à 175 °C (350 °F).

3 Au robot culinaire, réduire presque en purée le poivron, les carottes, l'ail, les oignons et le persil.

4 Ajouter au mélange au poivron 2 tranches de bacon hachées fin, le thym, la viande, la chapelure et les œufs. Remuer un peu et ajouter la muscade. Saler, poivrer généreusement et bien incorporer les pâtes. Mélanger pour répartir uniformément tous les ingrédients.

5 Façonner le mélange en une grosse bûche et l'envelopper, sans trop serrer, du reste des tranches de bacon. Mettre dans un plat à gratin peu profond et faire cuire 1½ heure au four.

6 À 8 PORTIONS

≈ **TERRINE AU PORC ET AU VEAU**

Cette terrine, aussi délicieuse servie froide que chaude, est idéale pour un pique-nique. Elle se conserve bien et se tranche facilement puisqu'une croûte savoureuse se formera durant la cuisson.

≈ **LE CHOCOLAT**

Dans certaines régions d'Espagne, le chocolat est utilisé pour aromatiser les plats de poisson. On n'en utilise qu'une petite quantité, mais il en résulte une sauce au goût doux et délicat. On pense que cette pratique date du temps où les soldats espagnols ont introduit le chocolat en Europe.

Rouleaux de poulet avec fettucine

THON FRAIS À L'ESPAGNOLE AVEC LASAGNETTE

15 ml (1 c. à s.) d'huile d'olive
600 g (1⅓ lb) de thon frais ou d'espadon
60 g (2 oz) de prosciutto ou de jambon de Bayonne, haché
125 ml (½ tasse) de vin blanc
3 oignons moyens, en quartiers
2 gousses d'ail, en moitiés
350 g (¾ lb) de lasagnette, brisées en deux
15 ml (1 c. à s.) de chocolat non sucré râpé
15 ml (1 c. à s.) de chapelure
250 ml (1 tasse) de bouillon de veau
quelques feuilles de céleri

1 Verser l'huile d'olive dans une cocotte. Ajouter le thon et couvrir du prosciutto, du vin, des oignons et de l'ail. Faire cuire 5 minutes à feu moyen. Retourner le thon et prolonger la cuisson de 5 minutes. Baisser le feu, couvrir et faire cuire 1½ à 2 heures.

2 Vingt minutes avant de servir, faire cuire les lasagnette dans de l'eau bouillante salée jusqu'à ce qu'elles soient *al dente*, les égoutter, les enrober d'un peu d'huile et réserver.

3 Retirer le poisson de la cocotte et garder chaud. Ajouter le chocolat, la chapelure et le bouillon aux ingrédients de la cocotte. Bien remuer et porter à ébullition. Laisser mijoter 4 à 5 minutes, puis filtrer à travers une fine passoire. Pour obtenir une sauce plus épaisse, remettre le liquide dans une petite casserole et le faire réduire rapidement.

4 Mettre les pâtes dans un plat de service chaud. Y déposer les morceaux de poisson et arroser de sauce. Garnir de feuilles de céleri.

4 PORTIONS

ROULEAUX DE POULET AVEC FETTUCINE

4 blancs de poulet
110 g (¼ lb) de prosciutto ou jambon de Bayonne, haché fin
50 ml (3½ c. à s.) de beurre, ramolli
6 cœurs d'artichauts en conserve, égouttés et en quartiers
sel et poivre noir fraîchement moulu
farine tout usage
45 ml (3 c. à s.) d'huile d'olive
1 petit oignon, haché fin
125 ml (½ tasse) de vin blanc sec
160 ml (⅔ tasse) de bouillon de volaille
450 g (1 lb) de fettucine fraîches aux épinards et nature
ou 300 g (⅔ lb) de fettucine sèches
2 à 3 feuilles de laurier
parmesan

1 Aplatir chaque blanc de poulet au maillet, sans briser la chair. Mélanger le prosciutto avec la moitié du beurre. Étaler le mélange sur les tranches de poulet. Déposer sur chacune un quartier de cœur d'artichaut. Assaisonner et rouler. Attacher fermement avec une ficelle ou des brochettes. Assaisonner légèrement et enrober de farine. Réserver.

2 Faire chauffer le reste du beurre et l'huile d'olive dans une cocotte. Y faire suer l'oignon 5 minutes. Ajouter les rouleaux de poulet et les faire dorer sur toutes leurs faces. Incorporer le vin, assaisonner au goût et faire cuire rapidement quelques instants. Baisser le feu, couvrir et faire cuire environ 30 minutes ou jusqu'à ce que la viande soit tendre. De temps en temps, ajouter un peu de bouillon de volaille pour maintenir une quantité de sauce suffisante. Rectifier l'assaisonnement.

3 Faire cuire les pâtes dans de l'eau bouillante salée jusqu'à ce qu'elles soient *al dente*. Les égoutter et y remuer un peu huile d'olive. Mettre les pâtes dans un plat de service chaud et y mélanger la sauce de cuisson.

4 Retirer les brochettes ou la ficelle des rouleaux de poulet. Ranger les rouleaux sur les pâtes. Décorer de feuilles de laurier. Servir aussitôt avec du parmesan fraîchement râpé.

4 PORTIONS

TAGLIATELLE AUX ASPERGES, AU JAMBON ET À LA CRÈME

450 g (1 lb) d'asperges fraîches
sel
450 g (1 lb) de tagliatelle fraîches ou 300 g (⅔ lb) de pâtes sèches
50 ml (3½ c. à s.) de beurre
225 g (½ lb) de prosciutto ou de jambon de Bayonne, en lanières de 3 cm (1¼ po) de long
250 ml (1 tasse) de crème
poivre noir fraîchement moulu
45 ml (3 c. à s.) de parmesan fraîchement râpé

1 Faire bouillir une grande casserole remplie d'eau.

2 Parer les asperges et en couper la pointe à environ 4 cm (1½ po), en laissant les tiges en un seul morceau.

3 Saler l'eau bouillante. Y mettre les tiges d'asperge les plus épaisses en premier et les faire bouillir jusqu'à ce qu'elles soient à moitié cuites. Ajouter les pointes et continuer à faire bouillir jusqu'à ce que les asperges soient croquantes et d'un vert vif. Les retirer à l'aide d'une écumoire et les faire refroidir légèrement. Faire cuire les pâtes dans la même eau bouillante jusqu'à ce qu'elles soient *al dente* et les égoutter.

4 Faire fondre le beurre dans une poêle. Ajouter le prosciutto et faire cuire jusqu'à ce que le beurre commence à brunir, sans que le prosciutto devienne croustillant. Incorporer la crème et porter à ébullition en remuant, tout en décollant les particules qui attachent au fond de la poêle. Poivrer généreusement.

5 Trancher les tiges d'asperges en morceaux de 4 cm (1½ po) de long, en jetant toute partie coriace. Les ajouter à la sauce avec les pointes et remuer pour enrober. La crème doit avoir réduit et épaissi.

6 Disposer les pâtes dans un plat de service chaud. Y incorporer la sauce et le parmesan. Mélanger pour enrober et rectifier l'assaisonnement avant de servir.

4 PORTIONS

≈ **ROULEAUX DE POULET AVEC FETTUCINE**

Ce plat est vraiment superbe et plaira à toute la famille ; les rouleaux peuvent être préparés à l'avance, et vous n'aurez que les pâtes à faire cuire avant le dîner.

≈ **TAGLIATELLE AUX ASPERGES, AU JAMBON ET À LA CRÈME**

Quelle belle combinaison de saveurs ! Il est difficile d'améliorer cette recette, si ce n'est qu'en mélangeant un œuf au parmesan et en incorporant ce mélange au plat à la toute dernière minute.

CASSEROLE DE TORTELLINI AUX AUBERGINES ET AUX POMMES DE TERRE

225 g (½ lb) d'aubergines, en dés de 2 cm (¾ po)
225 g (½ lb) de tortellini, farcis au bœuf ou au fromage
225 g (½ lb) de pommes de terre, pelées et en tranches de 2 cm (¾ po) d'épaisseur
125 ml (½ tasse) d'huile d'olive
1 oignon, émincé
410 ml (1⅔ tasse) de tomates italiennes pelées en conserve
2,5 ml (½ c. à t.) d'origan frais haché ou 1 ml (¼ c. à t.) d'origan séché
1 pincée de poivre de Cayenne
sel et poivre noir fraîchement moulu
250 ml (1 tasse) de fontina, râpé
45 ml (3 c. à s.) d'origan ou de persil haché

1 Préchauffer le four à 190 °C (375 °F).

2 Saupoudrer les aubergines de sel, les laisser dégorger 30 minutes, bien les rincer et les assécher sur du papier absorbant.

3 Faire cuire les tortellini, les égoutter et les mettre dans un plat à gratin peu profond.

4 Faire cuire les pommes de terre dans une petite casserole et les égoutter. Faire chauffer de l'huile dans une poêle. Y faire dorer les pommes de terre, puis les ajouter aux tortellini.

5 Ajouter un peu d'huile à la poêle et y faire suer l'oignon 5 minutes. Ajouter les aubergines et poursuivre la cuisson (en ajoutant de l'huile si nécessaire), jusqu'à ce que les aubergines soient tendres et dorées.

6 Égoutter un peu les tomates et les ajouter à la poêle. Les briser avec une cuiller de bois, en remuant. Ajouter l'origan, le poivre de Cayenne, le sel et le poivre. Faire cuire 5 à 8 minutes jusqu'à ce que le liquide soit presque tout évaporé.

7 Verser le mélange sur les pâtes, dans le plat à gratin. Ajouter un tiers du fontina et bien remuer. Saler, poivrer. Parsemer du reste du fontina et d'origan ou de persil.

8 Faire cuire 10 minutes au four ou jusqu'à ce que le fromage soit fondu et gratiné.

4 PORTIONS

BUCATINI AUX TOMATES ET AUX FRUITS DE MER

20 ml (1½ c. à s.) de beurre
15 ml (1 c. à s.) d'huile d'olive
1 oignon, haché fin
3 gousses d'ail, écrasées
5 ml (1 c. à t.) de persil haché fin
1 bonne pincée de thym
1,2 L (5 tasses) de tomates italiennes pelées en conserve, égouttées et en purée
sel et poivre noir fraîchement moulu
180 ml (¾ tasse) de fumet de poisson ou d'eau
12 petites palourdes fraîches, bien brossées
150 g (5 oz) de calmars, nettoyés et en rondelles
150 g (5 oz) de crevettes fraîches, en morceaux
150 g (5 oz) de filet de carrelet, en morceaux
2,5 à 10 ml (½ à 2 c. à t.) de curcuma, au goût
2,5 ml (½ c. à t.) de safran en poudre (facultatif)
1 trait de Pernod ou de Ricard (facultatif)
450 g (1 lb) de bucatini

1 Faire chauffer le beurre et l'huile dans une grande casserole. Y faire suer l'oignon et l'ail 5 minutes. Ajouter le persil et le thym, bien remuer et ajouter les tomates. Saler, poivrer. Couvrir et faire cuire 15 minutes à feu moyen.

2 Retirer le couvercle. Poursuivre la cuisson 5 à 10 minutes, jusqu'à ce que la sauce épaississe. Incorporer le fumet et porter à ébullition. Ajouter le reste des ingrédients, sauf les pâtes, et laisser mijoter jusqu'à ce que les palourdes s'ouvrent et que les fruits de mer soient cuits. Rectifier l'assaisonnement. Jeter toutes les coquilles fermées.

3 Faire cuire les pâtes dans de l'eau bouillante salée jusqu'à ce qu'elles soient *al dente*. Les égoutter et les mettre dans un plat de service chaud. Arroser de sauce et mélanger. Accompagner de fromage, si désiré.

4 PORTIONS

Casserole de tortellini aux aubergines et aux pommes de terre

CASEROLE D'AUBERGINES ET DE FETTUCINE

450 g (1 lb) de fettucine fraîches à la farine complète ou 225 g (½ lb) de pâtes sèches
2 aubergines, en tranches de 1 cm (½ po) d'épaisseur
sel et poivre noir fraîchement moulu
80 ml (⅓ tasse) d'huile d'olive
1 oignon, haché
1 gousse d'ail, écrasée
450 g (1 lb) de tomates fraîches, pelées, épépinées et hachées
10 ml (2 c. à t.) de basilic frais haché ou 5 ml (1 c. à t.) de basilic séché
4 courgettes, tranchées
625 ml (2½ tasses) de champignons, tranchés
45 ml (3 c. à s.) de germe de blé
45 ml (3 c. à s.) de persil haché
225 g (½ lb) de mozzarella, tranchée
125 ml (½ tasse) de crème

1 Couper ou briser les fettucine en trois. Les faire cuire dans de l'eau bouillante salée jusqu'à ce qu'elles soient *al dente*. Les égoutter et les mouiller d'un peu d'huile d'olive pour les empêcher de coller. Réserver.

2 Saler légèrement les tranches d'aubergines, les laisser dégorger 30 minutes, bien les rincer et les assécher avec du papier absorbant.

3 Faire chauffer la moitié de l'huile dans une casserole. Y faire dorer l'oignon et l'ail 5 minutes. Ajouter les tomates, le basilic, le sel et le poivre. Laisser mijoter, sans couvrir, jusqu'à ce que la sauce épaississe, environ 12 minutes.

4 Préchauffer le four à 175 °C (350 °F).

5 Faire chauffer le reste de l'huile dans une poêle. Y faire dorer les tranches d'aubergines et réserver. Faire frire les courgettes, les champignons et le germe de blé jusqu'à ce que les légumes soient tendres. Incorporer aux aubergines.

6 Étaler la moitié des pâtes au fond d'un plat allant au four, profond et beurré. Parsemer de la moitié du persil, puis ajouter la moitié du mélange aux aubergines. Arroser de la moitié de la sauce. Recommencer ces couches et terminer en couvrant de tranches de mozzarella et en arrosant de crème. Faire cuire au four, sans couvrir, 30 minutes.

4 À 6 PORTIONS

TAGLIARINI AUX SARDINES

1 petit bulbe de fenouil
12 sardines fraîches, environ 12 cm (5 po) de long, nettoyées et ouvertes
125 ml (½ tasse) de farine tout usage, assaisonnée de sel et de poivre
125 ml (½ tasse) d'huile d'olive
1 petit oignon, haché fin
1 filet d'anchois, haché
45 ml (3 c. à s.) de pignons, grillés
15 ml (1 c. à s.) de raisins secs
1 pincée de safran en poudre
poivre noir fraîchement moulu
450 g (1 lb) de tagliarini frais aux épinards et nature ou 300 g (⅔ tasse) de pâtes sèches

1 Hacher le feuillage du bulbe de fenouil et réserver. Éliminer les branches coriaces du bulbe et trancher ce dernier pour obtenir l'équivalent de 60 ml (¼ tasse). Garder le reste pour une autre recette.

2 Passer les sardines dans la farine. Faire chauffer la moitié de l'huile et y faire frire doucement les sardines, quelques-unes à la fois. Prendre soin de ne pas les briser en les retournant. Retirer et garder chaud.

3 Faire chauffer le reste de l'huile. Y faire suer l'oignon et le fenouil. Y faire frire les anchois en les écrasant, environ 30 secondes. Ajouter les pignons, les raisins, le safran et un peu de poivre noir. Remuer et garder chaud.

4 Faire cuire les pâtes dans de l'eau bouillante salée jusqu'à ce qu'elles soient *al dente*. Les égoutter et les mettre dans un plat de service chaud. Arroser de sauce au fenouil et mélanger. Couronner de sardines. Parsemer de feuilles de fenouil hachées. Servir aussitôt.

4 PORTIONS

SPAGHETTI AUX CALMARS

800 g (1¾ lb) de jeunes calmars frais
80 ml (⅓ tasse) d'huile d'olive
1 gros oignon, haché fin
3 gousses d'ail, écrasées
1 pincée de piments chili séchés, broyés
625 ml (2½ tasses) de tomates italiennes pelées en conserve, égouttées et hachées
sel et poivre noir fraîchement moulu
600 g (1⅓ lb) de spaghetti frais ou 450 g (1 lb) de pâtes sèches
45 ml (3 c. à s.) de coriandre hachée

1 Enlever la tête des calmars et couper les tentacules tout droit entre les yeux. Jeter la tête, conserver les tentacules et le corps en extrayant le bec osseux. Si les tentacules sont un peu grosses, les couper en deux. Retirer «la plume» des poches et rincer sous l'eau froide. Détacher la membrane extérieure de chaque poche tout en la lavant sous l'eau froide. Si les poches sont grosses, les couper en morceaux.

2 Faire chauffer l'huile. Y faire suer l'oignon, l'ail et les piments 5 à 6 minutes.

3 Ajouter les calmars et les faire cuire jusqu'à ce qu'ils deviennent opaques. Ajouter les tomates. Saler, poivrer généreusement. Bien remuer et baisser le feu. Couvrir et faire cuire 30 minutes.

4 Faire cuire les pâtes dans de l'eau bouillante salée jusqu'à ce qu'elles soient *al dente*. Les égoutter et les mettre dans un plat de service chaud. Arroser de sauce. Y mélanger la coriandre juste avant de servir.

4 PORTIONS

SPAGHETTI AUX PALOURDES

900 g (2 lb) de petites palourdes, lavées et brossées
250 ml (1 tasse) de vin blanc sec
250 ml (1 tasse) d'eau
80 ml (⅓ tasse) d'huile d'olive
2 gousses d'ail, écrasées
1 oignon, haché fin
830 ml (3⅓ tasses) de tomates italiennes pelées en conserve, égouttées et hachées
45 ml (3 c. à s.) de persil haché fin
1 pincée de piments chili séchés, broyés
45 ml (3 c. à s.) de beurre
sel et poivre noir fraîchement moulu
600 g (1⅓ lb) de spaghetti frais ou 450 g (1 lb) de pâtes sèches

1 Mettre les palourdes dans une grande casserole. Ajouter le vin, l'eau et 15 ml (1 c. à s.) d'huile. Couvrir et faire cuire à feu vif. Retirer les palourdes, à l'aide d'une écumoire, au fur et à mesure qu'elles s'ouvrent. Jeter celles qui restent fermées. Poursuivre l'ébullition jusqu'à ce qu'il reste environ 250 ml (1 tasse) de liquide. Le filtrer à l'étamine et réserver.

2 Faire chauffer le reste de l'huile dans une grande casserole. Y faire dorer l'ail et l'oignon. Ajouter le jus filtré des palourdes et le laisser s'évaporer un peu. Incorporer les

tomates, le persil, les piments et le beurre. Faire cuire 10 minutes sans couvrir, à feu moyen. Assaisonner et ajouter un peu de vin si la sauce devient trop épaisse. Y remuer les palourdes pour réchauffer.

3 Faire cuire les pâtes dans de l'eau bouillante salée jusqu'à ce qu'elles soient *al dente*. Les égoutter et y remuer un peu d'huile d'olive pour les empêcher de coller.

4 Disposer les pâtes dans des assiettes creuses chaudes et les arroser de sauce. Couronner d'une noisette de beurre. Servir aussitôt, sans fromage.

4 PORTIONS

Spaghetti aux palourdes

≈ SPAGHETTI AUX PALOURDES

Vous pouvez y incorporer d'autres crustacés et omettre les piments si vous désirez un plat moins épicé. Si vous utilisez des grosses palourdes, préparez-les de la même façon, mais enlevez la chair des coquilles et n'en gardez que quelques-unes comme décoration.

SALADE DE COQUILLES AUX CRUSTACÉS

450 g (1 lb) de conchiglie (coquilles) moyennes
330 ml (1⅓ tasse) de mayonnaise
60 ml (¼ tasse) d'estragon frais haché ou 45 ml (3 c. à s.) d'estragon séché
15 ml (1 c. à s.) de persil haché fin
poivre de Cayenne
jus de citron frais
900 g (2 lb) de fruits de mer cuits et en bouchées (crevettes, homard, crabe)
2 petits radis rouges doux, tranchés
½ poivron vert, en julienne
sel et poivre noir fraîchement moulu

1 Faire cuire les pâtes dans de l'eau bouillante salée jusqu'à ce qu'elles soient *al dente*. Les égoutter, les passer sous l'eau froide et les égoutter de nouveau. Les déposer dans un saladier et y remuer 20 à 40 ml (1½ à 2½ c. à s.) de mayonnaise. Laisser refroidir à la température ambiante, en remuant de temps à autre pour les empêcher de coller.

Salade de coquilles aux crustacés

2 Si de l'estragon séché est utilisé, le faire mijoter dans 60 ml (¼ tasse) de lait pendant 3 à 4 minutes et l'égoutter. Bien mélanger l'estragon, le persil, le poivre de Cayenne, le jus de citron et le reste de la mayonnaise.

3 Ajouter les fruits de mer aux pâtes, ainsi que la plupart des radis et du poivron. Saler, poivrer. Y remuer délicatement la mayonnaise à l'estragon pour enrober. Couvrir et rafraîchir avant de servir. Ajouter un peu de mayonnaise si la salade est trop sèche. Décorer des restes de radis et de poivron.

8 PORTIONS EN HORS-D'ŒUVRE,
4 PORTIONS EN PLAT PRINCIPAL

≈ LE PERSIL

Le persil commun ou persil italien, à feuilles plates et peu découpées, est plus parfumé que le persil frisé. Évitez de remplacer le persil frais par du persil séché, à moins que cela ne soit spécifié dans la recette.

LASAGNE AUX CREVETTES ET AUX CŒURS D'ARTICHAUTS

830 ml (3⅓ tasses) de tomates italiennes pelées en conserve, égouttées et en purée

1 gousse d'ail, écrasée

sel et poivre fraîchement moulu

1 pincée de piments chili séchés broyés

2,5 ml (1/2 c. à t.) de basilic frais haché fin
ou 1 ml (¼ c. à t.) de basilic séché

60 ml (¼ tasse) d'huile d'olive

300 g (⅔ lb) de lasagnes fraîches
ou 225 g (½ lb) de pâtes sèches

340 g (¾ lb) de crevettes moyenne cuites, décortiquées

6 cœurs d'artichauts en conserve, chacun coupé en 6

45 ml (3 c. à s.) de persil haché

110 g (¼ lb) de mozzarella, tranchée

8 à 10 filets d'anchois minces

1 Préchauffer le four à 200 °C (400 °F).

2 Bien incorporer les tomates, l'ail, le sel, le poivre, les piments, le basilic et l'huile d'olive dans un plat à gratin peu profond. Faire cuire au four 25 à 30 minutes.

3 Entre-temps, faire cuire les lasagnes jusqu'à ce qu'elles soient *al dente*. Les égoutter et les étaler en une seule couche sur un linge propre.

4 **POUR PRÉPARER LA LASAGNE:** Beurrer un plat à gratin rectangulaire. Y étaler une mince couche de sauce aux tomates. Couvrir d'une couche de pâtes. Mélanger le reste de la sauce, les crevettes, les cœurs d'artichauts, le persil, le sel et le poivre. Alterner les couches de sauce et celles de pâtes en finissant par une couche de sauce. Couvrir de mozzarella. Couronner d'anchois placés en treillis.

5 Baisser le four à 175 °C (350 °F) et faire cuire la lasagne 40 minutes ou jusqu'à ce qu'elle soit bien dorée.

4 PORTIONS

BŒUF BRAISÉ AVEC SPIRALES

125 ml (½ tasse) d'huile d'olive

45 ml (3 c. à s.) de beurre

2 kg (4½ lb) d'oignons, émincés

900 g (2 lb) de bœuf à braiser ou de palette

110 g (¼ lb) de pancetta ou de bacon, en morceaux

1 branche de céleri, hachée

1 carotte, hachée

1 brin de marjolaine fraîche
ou 2,5 ml (½ c. à t.) de marjolaine séchée

sel et poivre noir fraîchement moulu

250 ml (1 tasse) de vin blanc sec

45 ml (3 c. à s.) d'eau, de bouillon de bœuf ou de crème

450 g (1 lb) de spirales fraîches
ou 340 g (¾ lb) de pâtes sèches

1 Préchauffer le four à 150 °C (300 °F).

2 Faire chauffer 45 ml (3 c. à s.) d'huile et le beurre dans une cocotte. Ajouter les oignons et faire cuire à feu doux jusqu'à ce qu'ils soient tendres et dorés, au moins 15 minutes. Les mettre dans une assiette.

3 Faire chauffer le reste de l'huile dans la cocotte. Y faire saisir le rôti sur toutes les faces. Ajouter la pancetta et faire frire quelques minutes avant d'ajouter le céleri, la carotte, la marjolaine, le sel et le poivre. Poursuivre la cuisson 1 à 2 minutes. Remettre les oignons dans la cocotte et y ajouter la moitié du vin. Bien y mélanger les légumes. Faire cuire 1 minute pour dissiper l'arôme du vin. Couvrir et mettre au four.

4 Faire cuire 2 à 2½ heures ou jusqu'à ce que la viande soit tendre. Ajouter un peu de vin au fur et à mesure que les jus réduisent. Un jus de cuisson riche et foncé doit entourer le bœuf. Placer la viande sur une planche à découper et garder chaud.

5 Réserver 375 ml (1½ tasse) de jus de cuisson et le verser dans le bol d'un robot culinaire. Ajouter 45 ml (3. c. à s.) d'eau, de bouillon de bœuf ou de crème. Mélanger pour obtenir une sauce onctueuse et épaisse. Transvider dans une petite casserole et garder chaud.

6 Faire cuire les pâtes dans de l'eau bouillante salée jusqu'à ce qu'elles soient *al dente*. Égoutter et servir en hors-d'œuvre avec la sauce aux oignons et du parmesan râpé. Découper le bœuf et le servir avec le jus de cuisson comme plat principal.

5 À 6 PORTIONS

≈ BŒUF BRAISÉ AVEC SPIRALES

Vous pouvez servir ce bœuf en remplaçant le jus de cuisson par une sauce chaude aux tomates fraîches et en l'accompagnant de petites courges jaunes et vertes. On ne sert habituellement pas de pommes de terre avec ce plat.

POULET RÔTI FARCI AUX PÂTES

150 g (⅓ lb) de petites pâtes façonnées
(pennini ou ditali)
12 blancs d'oignons verts, émincés
12 pistaches, mondées
45 ml (3 c. à s.) d'aromates mélangés
hachés fin (persil, basilic, sauge ou origan)
5 tomates italiennes pelées en conserve,
égouttées et en purée
1 tranche de bacon, en petits morceaux
1 ml (¼ c. à t.) de sel
2,5 ml (½ c. à t.) de poivre noir
fraîchement moulu
50 ml (3½ c. à s.) de beurre, ramolli
1 poulet frais de 1 kg (900 g)
1 tranche de pain
4 tranches de bacon

1 Faire cuire les pâtes jusqu'à ce qu'elles soient aux trois quarts cuites et les égoutter.
2 Préchauffer le four à 220 °C (425 °F).
3 Dans un grand bol, mélanger les oignons verts, les pistaches, les aromates, les tomates, le bacon, le sel, le poivre et les pâtes.
4 Beurrer la cavité du poulet avec la moitié du beurre. La remplir de farce aux pâtes. Mettre une tranche de pain dans la cavité pour retenir la farce à l'intérieur du poulet. Replier les morceaux de peau et bien sceller avec des brochettes.
5 Badigeonner le poulet avec le reste du beurre. Le déposer, sur le côté, sur la grille d'un plat à rôtir. Poivrer le poulet et le couvrir des autres tranches de bacon. Faire rôtir 20 minutes.
6 Retourner le poulet, le poivrer et le couvrir du reste du bacon. Remettre au four et prolonger la cuisson 20 minutes.
7 Retirer le bacon. Mettre le poulet sur le dos et le faire rôtir de nouveau, en le badigeonnant fréquemment des jus de cuisson. Après 20 minutes, vérifier si le poulet est cuit. Piquer la partie la plus épaisse de la cuisse avec une brochette. S'il s'en écoule un liquide rosé, prolonger la cuisson de 5 minutes et vérifier de nouveau. Le poulet sera cuit lorsqu'il s'en écoulera un liquide clair. Sortir le poulet du four et le laisser reposer quelques minutes dans un endroit chaud avant de le découper.

2 À 3 PORTIONS

TORTILLONS ET ROUGET EN PAPILLOTES

110 g (¼ lb) de tortillons
80 ml (⅓ tasse) de beurre
1 gousse d'ail
1 poivron rouge, en lanières
600 g (1⅓ lb) de filet de rouget ou autre
poisson à chair blanche, taillé en bouchées
310 ml (1¼ tasse) de champignons,
tranchés
10 ml (2 c. à t.) de persil haché fin
10 ml (2 c. à t.) d'aneth haché fin
sel et poivre noir fraîchement moulu
125 ml (½ tasse) de crème
45 ml (3 c. à s.) de vin blanc sec

1 Faire cuire les pâtes dans de l'eau bouillante salée jusqu'à ce qu'elles soient presque *al dente*. Les égoutter et y remuer un peu d'huile végétale pour les empêcher de coller.
2 Faire fondre le beurre dans une poêle. Y faire suer l'ail et le poivron 2 minutes. Ajouter les filets de poisson et faire sauter jusqu'à ce qu'ils deviennent opaques. Ajouter les champignons et faire sauter rapidement. Retirer l'ail et le jeter. Incorporer le persil et l'aneth. Saler, poivrer et ajouter la crème. Faire cuire jusqu'à ce que la crème bouillonne. Ajouter les pâtes et mélanger.
3 Préchauffer le four à 200 °C (400 °F).
4 Diviser le mélange entre 4 grandes feuilles de papier d'aluminium ou de papier ciré beurré. Assaisonner légèrement. Arroser chaque portion de 7,5 ml (½ c. à s.) de vin. Envelopper pour obtenir des papillotes et bien sceller pour empêcher la vapeur de s'échapper durant la cuisson. Mettre dans un grand plat peu profond allant au four et faire cuire 20 minutes. Ouvrir prudemment les papillotes pour laisser échapper la vapeur et servir aussitôt.

4 PORTIONS

Spaghetti à l'agneau et aux poivrons rouges (en haut) et Tortillons et rouget en papillotes (en bas)

SPAGHETTI À L'AGNEAU ET AUX POIVRONS ROUGES

45 ml (3 c. à s.) de beurre

45 ml (3 c. à s.) d'huile d'olive

3 poivrons rouges, en lanières de 3 à 4 cm (1¼ à 1½ po) de long

1 oignon, haché fin

3 gousses d'ail, écrasées

450 g (1 lb) d'agneau, en petits dés

10 ml (2 c. à t.) de vinaigre

410 ml (1⅔ tasse) de tomates italiennes pelées en conserve, égouttées et hachées

1 ml (¼ c. à t.) de piments chili séchés, broyés

sel

vin blanc sec

600 g (1⅓ lb) de spaghetti frais ou 450 g (1 lb) de pâtes sèches

125 ml (½ tasse) de pecorino râpé

20 à 40 ml (1½ à 2½ c. à s.) de persil haché fin

pecorino

1 Faire chauffer la moitié du beurre et de l'huile dans une casserole à fond épais. Y faire suer les poivrons 5 minutes. Les retirer à l'aide d'une écumoire et les réserver.

2 Ajouter les reste du beurre et de l'huile à la casserole. Y faire sauter, à feu moyen, l'oignon, l'ail et l'agneau, jusqu'à ce que l'agneau soit légèrement bruni. Incorporer le vinaigre. Couvrir et laisser reposer 10 minutes avant de procéder.

3 Ajouter à la casserole les tomates, les piments et les poivrons cuits. Saler et faire cuire la sauce 5 minutes. Baisser le feu, couvrir, et poursuivre la cuisson 30 minutes, en remuant une ou deux fois. Ajouter un peu de vin de temps à autre si la sauce commence à sécher. Rectifier l'assaisonnement.

4 Faire cuire les pâtes dans de l'eau bouillante salée jusqu'à ce qu'elles soient *al dente*. Les égoutter et les mettre dans un plat de service chaud. Arroser de sauce et ajouter le pecorino et le persil. Mélanger délicatement. Servir avec du pecorino à part.

4 PORTIONS, EN PLAT PRINCIPAL

≈ **LES POIVRONS ROUGES**

Plus les poivrons rouges sont foncés, plus ils seront sucrés et plus leur saveur sera concentrée, surtout s'ils sont grillés ou rôtis.

≈ **LE PECORINO**

Ce fromage est traditionnellement fait de lait de chèvre. Son goût est plus prononcé et plus piquant que celui du parmesan.

RIGATONI AUX SAUCISSES ET À LA MARJOLAINE

20 ml (1½ c. à s.) de beurre

15 ml (1 c. à s.) d'huile d'olive

1 oignon, haché

1 carotte, en julienne

1 feuille de laurier

75 g (2½ oz) de bacon, haché

225 g (½ lb) de saucisses épicées,
sans peau et tranchées

410 ml (1⅔ tasse) de tomates italiennes
pelées en conserve

sel et poivre noir fraîchement moulu

125 ml (½ tasse) de bouillon de bœuf
ou de volaille

450 g (1 lb) de rigatoni

30 ml (2 c. à s.) de marjolaine hachée
ou d'origan

1 Faire chauffer le beurre et l'huile dans
une poêle. Y faire cuire l'oignon, la carotte
et la feuille de laurier, jusqu'à ce que
l'oignon devienne transparent.

2 Ajouter le bacon et les saucisses. Faire
cuire, en remuant souvent, jusqu'à ce qu'ils
soient dorés.

3 Presser la moitié des tomates au-dessus
de l'évier pour en extraire le jus. Écraser la
pulpe avec les mains et l'ajouter à la poêle.
Ajouter le reste des tomates entières et les
briser grossièrement avec une cuiller de
bois, tout en remuant. Saler, poivrer généreusement. Laisser mijoter, à feu doux,
30 minutes en ajoutant graduellement le
bouillon au fur et à mesure que la sauce se
dessèche.

4 Faire cuire les pâtes dans de l'eau bouillante salée jusqu'à ce qu'elles soient *al dente*.
Les égoutter et les transvider dans un plat
de service chaud. Y mélanger légèrement la
marjolaine et la sauce et servir.

4 PORTIONS

*Rigatoni aux saucisses
et à la marjolaine*

≈ **RIGATONI AUX SAUCISSES
ET À LA MARJOLAINE**

Le succès de cette recette repose sur la qualité des saucisses
utilisées et sur le degré de fraîcheur de la marjolaine.
La saveur de ce plat coloré est riche et épicée.

ROUGET ET PENNE À LA SAUCE AU CITRON

225 g (½ lb) de penne

125 ml (½ tasse) d'huile végétale

4 petits filets de rouget ou d'un autre poisson à chair blanche, parés

2 à 3 gousses d'ail, écrasées

15 ml (1 c. à s.) de coriandre hachée, plus quelques brins pour décorer

165 ml (⅔ tasse) de tomates fraîches en purée ou le jus d'une boîte de tomates italiennes en conserve

60 ml (¼ tasse) de jus d'agrumes frais (citron jaune ou vert, orange, ou un mélange)

piments chili séchés, broyés

1 Faire cuire les pâtes dans de l'eau bouillante salée jusqu'à ce qu'elles soient *al dente*. Les égoutter et y remuer un peu d'huile végétale pour les empêcher de coller. Les mettre dans un plat à gratin.

2 Faire chauffer un peu d'huile dans une poêle. Y faire dorer les filets de poisson des deux côtés. Les ranger côte à côte dans le plat à gratin, sur les pâtes, afin de les couvrir complètement.

3 Préchauffer le four à 220 °C (425 °F).

4 Faire chauffer le reste de l'huile dans la poêle. Y faire suer l'ail. Ajouter la coriandre hachée, puis la purée de tomates et le jus d'agrumes. Faire cuire, en remuant, jusqu'à ce que la sauce bouille et qu'il s'en dégage un arôme d'agrumes.

5 Parsemer de piments broyés, au goût. Arroser le poisson de sauce. Y verser un peu d'eau, environ 60 ml (¼ tasse), pour que les pâtes soient bien mouillées. Couvrir, sans serrer, de papier d'aluminium. Faire cuire au four 25 à 30 minutes ou jusqu'à ce que le poisson soit tendre. Décorer de brins de coriandre. Présenter dans le plat de cuisson.

4 PORTIONS

ROULEAU DE VIANDE FARCI AUX ÉPINARDS ET AU JAMBON

MÉLANGE À LA VIANDE

900 g (2 lb) de bœuf maigre, haché

2 œufs, battus

5 ml (1 c. à t.) de thym

2,5 ml (½ c. à t.) de chacun des ingrédients suivants : sel, poivre noir et ail écrasé

1 oignon, haché fin

45 ml (3 c. à s.) de persil haché fin

125 ml (½ tasse) de chapelure

125 ml (½ tasse) de marsala

5 ml (1 c. à t.) de pâte de tomates

MÉLANGE AUX ÉPINARDS

185 ml (¾ tasse) d'épinards cuits, bien égouttés et hachés fin

60 g (2 oz) de stelline (étoiles) cuites ou d'autres petites pâtes façonnées

125 ml (½ tasse) de cheddar, râpé

60 ml (¼ tasse) de parmesan, râpé

1 ml (¼ c. à t.) de chacun des ingrédients suivants : sel, poivre et muscade

110 g (¼ lb) de jambon, haché fin

GARNITURE

60 ml (¼ tasse) de chapelure fraîche mélangée à 60 ml (¼ tasse) de parmesan râpé

1 POUR PRÉPARER LE MÉLANGE À LA VIANDE : Mélanger tous les ingrédients dans un bol.

2 POUR PRÉPARER LE MÉLANGE AUX ÉPINARDS : Mélanger tous les ingrédients dans un autre bol.

3 Préchauffer le four à 175 °C (350 °F).

4 Pour façonner le rouleau, aplatir le mélange à la viande sur une grande feuille de papier d'aluminium pour former un rectangle d'environ 5 mm (½ po) d'épaisseur, 15 cm (6 po) de long et 9 cm (3½ po) de large. Y étaler uniformément le mélange aux épinards. Façonner, comme pour un biscuit roulé, en commençant par un des côtés les plus étroits et en utilisant le papier pour soulever le mélange et rouler.

5 Parsemer de la garniture. Envelopper le rouleau très serré dans du papier d'aluminium. Le mettre dans un petit plat profond allant au four. Faire cuire 1½ heure. Laisser reposer 5 minutes dans le papier avant de servir.

6 À 8 PORTIONS

≈ **ROULEAU DE VIANDE FARCI AUX ÉPINARDS ET AU JAMBON**

Ce rouleau est tellement tendre et juteux qu'il ne requiert aucune sauce d'accompagnement lorsqu'il est servi chaud. Froid, il se tranche très bien et peut être servi lors d'un pique-nique puisqu'il fait de merveilleux sandwiches.

LASAGNE AUX COURGETTES ET AUX SAUCISSES

125 ml (½ tasse) d'huile d'olive
2 petites carottes, hachées fin
1 oignon, haché fin
2 branches de céleri, hachées fin
225 g (½ lb) de saucisses épicées
180 ml (1¾ tasse) de vin blanc sec
825 ml (3⅓ tasses) de tomates italiennes pelées en conserve, égouttées et hachées
sel et poivre noir fraîchement moulu
800 g (1¾ lb) de petites courgettes, tranchées
2,5 ml (½ c. à t.) d'origan frais haché ou 1 ml (¼ c. à t.) d'origan séché
450 g (1 lb) de feuilles de lasagne
500 ml (2 tasses) de fontina, râpé
180 ml (¾ tasse) de parmesan, râpé

1 Faire chauffer la moitié de l'huile dans une poêle. Y faire suer doucement les carottes, l'oignon et le céleri.

2 Retirer la peau des saucisses et la jeter. Ajouter la chair de saucisse à la poêle et la briser en morceaux en remuant avec une cuiller en bois. Faire dorer et ajouter le vin. Augmenter le feu et faire cuire jusqu'à ce que les jus aient réduit de moitié.

3 Ajouter les tomates. Baisser le feu et laisser mijoter 40 minutes, en remuant de temps à autre. Assaisonner au goût.

4 Faire chauffer le reste de l'huile dans une autre poêle. Y faire frire les courgettes avec un peu de sel et l'origan, jusqu'à ce qu'elles soient dorées et tendres.

5 Faire cuire les pâtes et les égoutter sur un linge.

6 Préchauffer le four à 190 °C (375 °F).

7 Beurrer un plat rectangulaire allant au four et y étaler une rangée de pâtes. Ajouter une mince couche de sauce et quelques tranches de courgettes. Parsemer d'un peu de fontina et de parmesan. Continuer à superposer les couches jusqu'à ce que tous les ingrédients soient utilisés, en terminant par une couche de fontina et de parmesan. Faire cuire 30 minutes au four.

6 À 8 PORTIONS, EN PLAT PRINCIPAL

TAGLIATELLE AU VEAU, AU VIN ET À LA CRÈME

Riche et nourrissant, ce plat constitue un repas idéal lorsqu'il est accompagné d'une salade. Pour obtenir une sauce plus légère, il suffit d'omettre la crème. Le résultat sera tout aussi délicieux.

450 g (1 lb) d'escalope de veau, coupée en lanières
farine assaisonnée de sel et de poivre
50 ml (3½ c. à s.) de beurre
1 oignon, tranché
125 ml (½ tasse) de vin blanc sec
60 à 75 ml (4 à 5 c. à s.) de bouillon de bœuf ou de volaille
160 ml (⅔ tasse) de crème
sel et poivre noir fraîchement moulu
600 g (1⅓ lb) de tagliatelle fraîches ou 450 g (1 lb) de pâtes sèches
parmesan fraîchement râpé

1 Enrober les morceaux de veau de farine assaisonnée. Les faire frire rapidement à la poêle, dans le beurre fondu, jusqu'à ce qu'ils soient dorés. Retirer le veau à l'aide d'une écumoire et réserver.

2 Faire dorer doucement l'oignon dans la poêle, 8 à 10 minutes. Incorporer le vin et faire cuire rapidement pour dissiper son arôme prononcé. Y remuer le bouillon et la crème. Saler, poivrer. Faire réduire. Ajouter le veau.

3 Faire cuire les pâtes dans de l'eau bouillante salée jusqu'à ce qu'elles soient *al dente*. Les égoutter et les mettre dans un plat de service chaud.

4 Rectifier l'assaisonnement de la sauce. Y remuer environ 15 ml (1 c. à s.) de parmesan. Verser la sauce sur les pâtes et bien mélanger. Servir avec du parmesan.

4 PORTIONS

Tagliatelle au veau, au vin et à la crème

LA FINALE

Les pâtes, avec leurs différentes textures et leurs goûts particuliers,
vous permettent d'accomplir des merveilles et de mettre en valeur une quantité
incroyable de parfums. Dans cette section vous trouverez des recettes
pour des desserts alléchants, des dîners légers et de délicieux goûters.

SOUFFLÉ AUX PÂTES

750 ml (3 tasses) de lait
zeste râpé de ½ petit citron
10 ml (2 c. à t.) de sel
**225 g (½ lb) de spaghetti secs
ou de tagliatelle**
**75 ml (¼ tasse plus 1 c. à s.) de beurre,
ramolli**
125 ml (½ tasse) de sucre
3 gros œufs, séparés
**125 ml (½ tasse) de raisins secs, ayant
trempé dans 60 ml (¼ tasse) de cognac**
**180 ml (¾ tasse) d'amandes blanchies,
hachées**
1 pincée de cannelle

1 Préchauffer le four à 190 °C (375 °F).

2 Verser le lait, le zeste de citron et le sel
dans une grande casserole et porter à ébullition. Ajouter les pâtes, couvrir et faire
cuire à feu doux jusqu'à ce qu'elles soient
tendres, environ 8 minutes. Retirer le couvercle et refroidir en mettant la casserole
dans un bain d'eau froide.

3 Défaire le beurre et le sucre en crème,
jusqu'à ce que le mélange soit lisse et léger.
Ajouter les jaunes d'œufs, un à un, en bat-
tant après chaque addition. Y incorporer le
mélange aux pâtes, les raisins et le cognac,
les amandes et la cannelle.

4 Monter les blancs d'œufs en neige ferme.
Les incorporer légèrement au mélange.
Verser dans un moule à soufflé beurré. Faire
cuire au four 45 à 60 minutes, jusqu'à ce
que le soufflé soit légèrement doré et le
centre, pris ou légèrement crémeux, selon
votre préférence.

4 À 6 PORTIONS

≈ GÂTEAU SUCRÉ AUX PÂTES

Ce gâteau est formidable servi froid, au dessert, lors d'un pique-nique ou d'un barbecue. Pour une occasion plus spéciale, vous pouvez aussi le servir chaud avec du fromage mascarpone ou de la crème.

≈ PÂTES ET FRUITS FRAIS AU YOGOURT

Ce dessert est délicieux ! Faire cuire 300 g (⅔ lb) de petits conchiglie jusqu'à ce qu'ils soient al dente. Égoutter et rincer sous l'eau froide. Égoutter de nouveau et y remuer 5 ml (1 c. à t.) d'huile et laisser refroidir. Arroser un mélange de fruits frais (melons d'hiver, kiwis, pêches, petits fruits) de jus d'orange et de citron et d'un peu de sucre. Réfrigérer. Incorporer aux pâtes du yogourt, du miel, de la vanille et du Cointreau; remuer pour bien enrober. Mettre les pâtes dans une grande assiette et les entourer des fruits. Garnir d'amandes grillées et de feuilles de menthe.

GÂTEAU SUCRÉ AUX PÂTES

**300 g (⅔ lb) de spaghetti frais
ou 225 g (½ lb) de pâtes sèches
30 ml (2 c. à s.) de beurre
45 ml (3 c. à s.) de sucre semoule
80 ml (⅓ tasse) de zestes confits mélangés
80 ml (⅓ tasse) de raisins secs
60 ml (¼ tasse) d'amandes
60 ml (¼ tasse) de figues sèches
ou de dattes, hachées
45 ml (3 c. à s.) de cerises glacées, hachées
45 ml (3 c. à s.) de farine
2,5 ml (½ c. à t.) de cannelle
2 œufs, battus**

1 Faire cuire les pâtes dans de l'eau bouillante salée jusqu'à ce qu'elles soient *al dente*. Les égoutter, les rincer sous l'eau froide et les égoutter de nouveau. Mettre les pâtes dans un bol.

2 Préchauffer le four à 175 °C (350 °F).

3 Faire fondre le beurre dans une petite casserole. Ajouter le sucre et faire chauffer, en remuant, jusqu'à ce qu'il soit dissous. Laisser refroidir.

4 Dans un grand bol, incorporer les zestes, les raisins, les amandes, les figues, les cerises, la farine et la cannelle. Mélanger aux pâtes, puis ajouter le mélange au sucre et les œufs. Remuer pour bien enrober.

5 Verser le mélange dans un moule à tarte de 20 cm (8 po) de diamètre, beurré. Faire cuire au four jusqu'à ce qu'il soit pris et doré, environ 35 minutes. Si le dessus brunit trop rapidement, le recouvrir, sans serrer, d'une feuille de papier d'aluminium. Lorsque le gâteau est cuit, le retirer du four et le laisser reposer 20 minutes avant de le démouler.

6 À 8 PORTIONS

AGNOLOTTI AUX MARRONS

675 g (1½ lb) de minces feuilles de pâtes fraîches humides

FARCE

**450 g (1 lb) de purée de marrons
45 ml (3 c. à s.) de miel
45 ml (3 c. à s.) de poudre de cacao
45 ml (3 c. à s.) d'amandes moulues
5 ml (1 c. à t.) de cannelle
5 ml (1 c. à t.) d'essence de vanille
10 ml (2 c. à t.) de rhum
60 ml (¼ tasse) de zestes confits mélangés, hachés fin**

**180 ml (¾ tasse) de chapelure fraîche
15 ml (1 c. à s.) de sucre**

POUR ASSEMBLER

**œuf battu
huile végétale
miel liquide et sucre à glacer**

1 POUR PRÉPARER LA FARCE: Mélanger tous les ingrédients jusqu'à l'obtention d'une consistance lisse.

2 À l'aide d'un emporte-pièce, en travaillant une seule feuille de pâte à la fois, y découper des cercles d'environ 6 cm (2½ po) de diamètre. Badigeonner les bords des cercles de pâte d'œuf battu, les garnir d'un peu de farce au centre, replier la pâte en forme de demi-lune et sceller. Découper le bord à l'aide d'une roulette dentelée. Réserver sans empiler.

3 Dans une poêle peu profonde, faire chauffer environ 1 cm (½ po) d'huile jusqu'à ce qu'elle soit légèrement voilée. Y faire dorer les agnolotti des deux côtés, quelques-uns à la fois. Les retirer à l'aide d'une écumoire et les égoutter sur du papier absorbant. Les servir chauds, arrosés de miel et poudrés de sucre à glacer.

4 PORTIONS

TORTILLONS ET RICOTTA EN DOUCEUR

**225 g (½ lb) de tortillons
125 ml (½ tasse) de ricotta
1 pincée de sel
15 ml (1 c. à s.) de sucre
1 ml (¼ c. à t.) d'essence de vanille
1 ml (¼ c. à t.) de zeste de citron râpé
1 ml (¼ c. à t.) de cannelle
lait chauffé
julienne de zeste de citron pour décorer**

1 Faire cuire les pâtes jusqu'à ce qu'elles soient *al dente* et les égoutter.

2 Dans un bol, mélanger la ricotta, le sel, le sucre, la vanille, le zeste râpé et la cannelle. Ajouter juste assez de lait chaud pour obtenir une sauce homogène.

3 Incorporer les pâtes à la sauce. Garnir de julienne de citron et saupoudrer de cannelle. Servir aussitôt.

4 PORTIONS

PÂTES AUX FRUITS ET AUX NOIX

300 g (⅔ lb) de rigatoni
ou d'autres gros tubes creux
110 g (¼ lb) de figues sèches, ramollies
15 minutes dans de l'eau bouillante
et hachées fin
125 ml (½ tasse) d'amandes blanchies
grillées, hachées fin
125 ml (½ tasse) de noix de Grenoble,
hachées fin
60 ml (¼ tasse) de raisins secs, hachés
45 ml (3 c. à s.) de marmelade
zeste râpé de 1 grosse orange
1 pincée de clou de girofle
1 ml (¼ c. à t.) de cannelle
110 g (¼ lb) de beurre, fondu et noisette
sucre
crème glacée à la vanille, ramollie

1 Préchauffer le four à 190 °C (375 °F).
2 Faire cuire les pâtes dans de l'eau bouillante salée jusqu'à ce qu'elles soient *al dente*. Les égoutter, les passer sous l'eau froide et les égoutter de nouveau. Y remuer un peu d'huile végétale et réserver.
3 Dans un bol, bien mélanger les figues, les amandes, les noix, les raisins, la marmelade, le zeste et les épices. En farcir chaque tube de pâte en utilisant une poche munie d'une grosse douille. Ranger les rigatoni farcis, en une seule couche, dans un plat peu profond allant au four, beurré. Arroser de beurre et saupoudrer de sucre. Faire cuire 10 à 14 minutes au four. Servir aussitôt avec la crème glacée ramollie.

4 PORTIONS

TARTE AUX AMANDES

1 L (4 tasses) de lait
250 ml (1 tasse) de sucre
225 g (½ lb) de risoni (grains de riz)
45 ml (3 c. à s.) d'essence de vanille
250 ml (1 tasse) d'amandes blanchies
30 ml (2 c. à s.) de sucre
15 ml (1 c. à s.) de chapelure
6 œufs
60 ml (¼ tasse) de liqueur d'amande
5 ml (1 c. à t.) d'essence d'amande
liqueur d'amande

1 Mélanger le lait et le sucre dans une grande casserole et porter à ébullition. Ajouter les pâtes et 15 ml (1 c. à s.)

Tarte aux amandes

d'essence de vanille. Faire bouillir 10 minutes, en remuant une ou deux fois. Réserver.
2 Préchauffer le four à 150 °C (300 °F).
3 Placer les amandes serrées les unes contre les autres sur une plaque à biscuits recouverte d'une feuille de papier d'aluminium. Saupoudrer de sucre et d'un peu d'eau. Faire caraméliser sous un gril chaud. Au robot culinaire ou à la main, hacher grossièrement les amandes avec la chapelure.
4 Battre les œufs, la liqueur et l'essence d'amande et le reste de l'essence de vanille. Y ajouter le mélange aux pâtes et les amandes. Bien mélanger. Verser dans un plat beurré peu profond de 25 cm (10 po) de diamètre. Faire dorer 1 heure au four ou jusqu'à ce que la tarte soit cuite.
5 Retirer du four et piquer immédiatement toute la surface de la tarte avec un cure-dent ou avec une brochette. Arroser généreusement de liqueur d'amande et laisser refroidir.

6 À 8 PORTIONS

Préparation des Ravioli sucrés

4 Préchauffer le four à 175 °C (350 °F).

5 En travaillant une seule feuille à la fois, y déposer des demi-cuillerées à thé de confiture tous les 4 cm (2 po) environ. Badigeonner la pâte d'œuf battu entre les demi-cuillerées de confiture, le long des lignes de découpage. Couvrir d'une autre feuille de pâte. Passer le doigt le long des lignes de découpage pour sceller. Découper les ravioli à l'aide d'une roulette dentelée farinée. Répéter avec le reste des feuilles de pâte.

6 Badigeonner les ravioli d'œuf battu et les ranger sur une tôle à biscuits beurrée. Faire cuire jusqu'à ce qu'ils soient croustillants et dorés, environ 30 minutes. Laisser refroidir légèrement. Saupoudrer de sucre glace et servir.

4 PORTIONS

RAVIOLI SUCRÉS

250 ml (1 tasse) de fécule de pommes de terre
250 ml (1 tasse) de farine tout usage
1 pincée de sel
125 ml (½ tasse) de sucre
60 ml (¼ tasse) de beurre
1 œuf
zeste râpé de 1 citron
45 ml (3 c. à s.) de lait
confiture épaisse
œuf battu
sucre à glacer

1 Pour préparer les pâtes à la main, tamiser ensemble les farines, le sel et le sucre. Y défaire le beurre. Ajouter le reste des ingrédients, sauf la confiture. Mélanger pour obtenir une pâte sèche mais maniable, en ajoutant un peu de lait ou de farine si nécessaire. Couvrir et laisser reposer 1 heure.

2 Pour mélanger au robot culinaire, incorporer rapidement les ingrédients secs. Ajouter le beurre et l'œuf. Mélanger quelques secondes, puis ajouter le reste des ingrédients. Mélanger de nouveau jusqu'à l'obtention d'une boule. Couvrir et laisser reposer 1 heure.

3 Diviser la pâte en quatre. Abaisser chaque portion en une feuille très mince d'environ 30 cm (12 po) de long. Couvrir d'un linge humide.

≈ VARIANTES POUR RAVIOLI SUCRÉS

Ces ravioli peuvent être servis au dessert avec de la crème ou du fromage mascarpone ou tels quels avec du café. Vous pouvez aussi les faire frire au lieu de les faire cuire au four, ce qui les rendra plus croustillants, mais ils ne se conserveront pas. Si vous choisissez de les faire frire, ne les badigeonnez pas d'œuf battu.

PÂTES DOUCES AU FROMAGE ET AU CITRON

Ces petites pâtisseries au citron peuvent être préparées à l'avance et conservées au réfrigérateur, légèrement couvertes, jusqu'au moment de la cuisson. Vous pouvez les façonner de différentes grandeurs et formes, mais elles sont plus jolies petites, de la grandeur d'un ravioli.

PÂTES
500 ml (2 tasses) de farine tout usage
2,5 ml (½ c. à t.) de sel
5 ml (1 c. à t.) de sucre
zeste râpé de 2 citrons
45 ml (3 c. à s.) de jus de citron frais
1 petit œuf, battu

FARCE
680 g (2¾ tasses) de fromage cottage
160 ml (⅔ tasse) de sucre
180 ml (¾ tasse) de zeste de citron confit
90 g (3 oz) de chocolat noir, râpé
2,5 ml (½ c. à t.) d'essence de vanille
15 ml (1 c. à s.) de cognac

POUR ASSEMBLER
œuf battu
huile végétale, pour friture
250 ml (1 tasse) de crème, aromatisée de cognac au goût
sucre

1 POUR PRÉPARER LES PÂTES: Mélanger la farine, le sel, le sucre et le zeste des citrons sur une surface plane. Creuser un puits au centre, y verser le jus de citron et l'œuf et les incorporer doucement à la farine à l'aide d'une fourchette jusqu'à l'obtention d'une pâte assez grossière. Pétrir ensuite à la main, en ajoutant un peu de farine au fur et à mesure pour obtenir une boule sèche, lisse et élastique. Couvrir d'un linge humide et laisser reposer 15 minutes.

2 Diviser la pâte en quatre. Abaisser chaque portion en une feuille très mince. Couvrir chaque feuille dès qu'elle est prête. Laisser reposer de nouveau.

3 POUR PRÉPARER LA FARCE: Mélanger tous les ingrédients.

4 Couper la pâte en carrés de 10 cm (4 po) de côté. En ne travaillant que quelques carrés à la fois, en badigeonner les bords d'un peu d'œuf battu. Déposer un peu de farce au centre de chacun d'eux et les plier comme une enveloppe, pour les sceller complètement.

5 Dans une poêle, faire chauffer environ 1 à 2 cm (½ à ¾ po) d'huile jusqu'à ce qu'elle soit légèrement voilée. Y faire dorer les pâtisseries sur les deux faces, une ou deux à la fois. Les retirer à l'aide d'une écumoire et les égoutter sur du papier absorbant. Garder chaud pendant que les autres cuisent. Saupoudrer de sucre et servir avec la crème au cognac.

4 À 6 PORTIONS

Pâtes douces au fromage et au citron

*Ce dessert des plus faciles
à réaliser terminera vos
repas avec éclat. Les pâtes
peuvent être préparées plus
tôt, dans la journée, et
gardées humides tout
comme le zeste d'orange
peut être râpé à l'avance.*

*Ce dessert au goût délicat
se prépare facilement.
Faites revenir 90 g (3 oz)
de pistaches dans 110 g
(¼ lb) de beurre noisette.
Ajouter 75 ml (5 c. à s.)
de graines de pavot et
15 ml (1 c. à s.) de sucre.
Mélanger pour bien
enrober. Incorporer ce
mélange à 225 g (½ lb)
de farfelle cuites.*

FETTUCINE AU CHOCOLAT AVEC BEURRE À L'ORANGE

PÂTE AU CHOCOLAT
250 ml (1 tasse) de semoule de blé dur
180 ml (¾ tasse) de farine tout usage
15 ml (1 c. à s.) de chocolat en poudre
5 ml (1 c. à t.) de poudre de cacao
1 pincée de sel
1 œuf, légèrement battu
5 ml (1 c. à t.) d'huile végétale

BEURRE À L'ORANGE
150 g (⅓ lb) de beurre doux
1 grosse orange
Crème ou mascarpone

1 POUR PRÉPARER LES PÂTES : Tamiser
ensemble les ingrédients secs. Y remuer
graduellement l'œuf et l'huile en ajoutant
un peu d'eau, si nécessaire, pour former une
pâte sèche mais bien mélangée. (On peut
aussi utiliser un robot culinaire.) Pétrir la
pâte sur une surface légèrement farinée, 6 à
7 minutes, afin d'obtenir une boule lisse
et élastique. Laisser reposer au moins
15 minutes.
2 Diviser la pâte en deux. Abaisser chaque
moitié en un mince rectangle d'environ
20 cm (8 po) de long. Laisser reposer quelques minutes avant de découper. À l'aide
d'un laminoir, tailler la pâte en fettucine ou
rouler chaque moitié sur elle-même, dans le
sens de la longueur, et couper le rouleau en
bandes à l'aide d'un couteau tranchant.
3 Faire cuire les pâtes dans de l'eau bouillante salée jusqu'à ce qu'elles soient *al dente*
et les égoutter.
**4 POUR PRÉPARER LE BEURRE À
L'ORANGE :** Prélever le zeste d'un quart
d'orange en prenant soin de bien enlever
toute la membrane blanche. Émincer le
zeste en lanières de 2 à 3 cm (¾ à 1¼ po) de
long. Râper le reste du zeste avec une râpe
très fine.
5 Faire dorer le beurre dans une petite
casserole. Si la graisse du beurre commence
à se séparer, filtrer le beurre et le verser dans
une autre casserole. Ajouter le zeste émincé
et râpé. Faire chauffer doucement 2 à 3 minutes ou jusqu'à ce que le zeste d'orange
dégage son arôme distinctif.
6 Arroser les pâtes rapidement de sauce.
Servir aussitôt avec de la crème légèrement
fouettée ou du mascarpone.

4 PORTIONS

GÂTEAU CHOCOLATÉ AU NOIX

225 g (½ lb) de farfalle
250 ml (1 tasse) de noisettes grillées
**375 ml (1½ tasse) de moitiés de noix
de Grenoble**
180 ml (¾ tasse) d'amandes blanchies
45 ml (3 c. à s.) de chapelure
60 ml (¼ tasse) de poudre de cacao
45 g (1½ oz) de chocolat noir, râpé
5 ml (1 c. à t.) de cannelle
160 ml (⅔ tasse) de sucre
15 ml (1 c. à s.) de zeste mélangé, haché fin
zeste râpé de 1 citron
5 ml (1 c. à t.) d'essence de vanille
60 ml (¼ tasse) de cognac
**Chocolat râpé ou sucre à glacer et crème
fouettée**

1 Faire cuire les pâtes dans de l'eau bouillante salée, additionnée de 5 ml (1 c. à t.) de
sucre. Les égoutter lorsqu'elles sont à peine
cuites.
2 Hacher les noix et la chapelure au robot
culinaire jusqu'à l'obtention d'une pâte
grossière. Transvider dans un bol et mélanger avec le reste des ingrédients. Incorporer
environ 125 ml (½ tasse) du mélange aux
pâtes chaudes.
3 Étaler une mince couche de pâte aux noix
dans un plat rond profond, graissé. Recouvrir d'une couche de pâtes, puis d'une autre
couche de pâte aux noix, en continuant ainsi
jusqu'à ce que tous les ingrédients soient
utilisés. Terminer par une couche de pâte
aux noix. Recouvrir d'une assiette plate de
la grandeur du gâteau et presser fermement.
Réfrigérer au moins 12 heures, en appuyant
sur l'assiette de temps à autre.
4 Servir à la température ambiante.
Décorer de chocolat râpé ou de sucre à
glacer. Couper le gâteau en morceaux
pendant qu'il est encore dans le moule.
Accompagner de café ou servir en dessert
avec de la crème fouettée.

12 À 16 PORTIONS

TABLEAU D'ÉQUIVALENCES

LES LIQUIDES

30 ml	2 cuillères à soupe
60 ml	¼ tasse
125 ml	½ tasse
180 ml	¾ tasse
250 ml	1 tasse
500 ml	2 tasses
625 ml	2½ tasses
1 litre	4 tasses

LES INGRÉDIENTS SECS

15 g		½ oz
30 g		1 oz
60 g		2 oz
90 g		3 oz
125 g	¼ lb	4 oz
155 g		5 oz
185 g		6 oz
220 g		7 oz
250 g	½ lb	8 oz
280 g		9 oz
315 g		10 oz
345 g		11 oz
375 g	¾ lb	12 oz
410 g		13 oz
440 g		14 oz
470 g		15 oz
500 g	1 lb	16 oz
750 g	1½ lb	24 oz
1 kg	2 lb	32 oz

LES MESURES

5 mm		¼ po
1 cm		½ po
2 cm		¾ po
2,5 cm		1 po
5 cm		2 po
6 cm		2½ po
8 cm		3¼ po
10 cm		4 po
12 cm		5 po
15 cm		6 po
18 cm		7 po
20 cm		8 po
22 cm		9 po
25 cm		10 po
28 cm		11 po
30 cm	1 pied	12 po
46 cm		18 po
50 cm		20 po
61 cm	2 pieds	24 po
77 cm		30 po

LES TASSES ET LES CUILLÈRES

60 ml	¼ tasse	1 ml	¼ cuillère à thé
85 ml	⅓ tasse	2,5 ml	½ cuillère à thé
125 ml	½ tasse	5 ml	1 cuillère à thé
250 ml	1 tasse	15 ml	1 cuillère à soupe

LES TEMPÉRATURES DU FOUR

TEMPÉRATURES	CELSIUS (°C)	FAHRENHEIT (°F)
Très doux	120	250
Doux	150	300
Moyen-doux	160 à 180	325 à 350
Moyen	190 à 200	375 à 400
Moyen-chaud	220 à 230	425 à 450
Chaud	250 à 260	475 à 500

INDEX